現代哲学の最前線

仲正昌

NHK出版新書
627

はじめに――「哲学」とは何をテーマにするか

二一世紀の一〇年代に入った頃から、何となく哲学書ブームが続いている。様々な哲学入門書が出版され、都市の大型書店には、〝庶民に親しみやすい言葉で哲学を語れるカリスマ哲学者〟のコーナーが設けられている。「〇〇分で分かる△△先生による超入門書」というような感じのポップや広告をしばしば見かける。ただ、それらの入門書を読んだ後で、「哲学とは何か」本当に分かったという実感を持った人、それをきっかけに自ら「哲学」に取り組むようになったという人はあまりいないだろう。

多くの場合それらの本は、学校の参考書、虎の巻風に書かれており、お決まりのパターンがある。まず著者であるカリスマ講師が、「これさえ押さえておけば、哲学なんて怖くない！」「これで哲学を完全攻略！」「これで哲学が役に立つことが納得できるはず」などと高らかに宣言する。目次にはソクラテス、プラトン、デカルト、カント、ヘーゲル、サンデル……など素人でも知っていそうな哲学者たちの名前が並ぶ。人名の代わりに戦争とかAI、クローン、SNS、セクシュアリティ、正義、ケア、幸福……など、哲学的に意味がありそうな時事ネタが、「これこそ哲学が取り組む最重要課題」と銘打たれて列挙されることもある。そして、それぞれの項目が二〜四頁くらいので長さで均一にまとめられる。それぞれかなり教科書・参考書的にコンパクトになっている項目は、さらに念入りに、最後にワンセンテンスにまとめられ、「これさえ押さえておけば、君は○○哲学をマスターしたと自慢していい」と保証される。

そういう露骨にアラカルト式の入門書は、一般教養として哲学の基礎知識がほしいという人には役に立つだろうが、本格的に「哲学」を学びたい人、つまり過去の哲学者たちの思考を参考にして、自らも哲学的に思索したい、という人にはさほど意味がなかろう。学問一般について言えることだが、外国語の会話とかPCの学習とは違って、これさえ覚えておけば大丈夫、などということはない。基本的な考え方の筋道を自分で辿っていけないと、意味がない。特に「哲学」の場合、何をどれだけ学んだら充分と言えるのか、専門的に研究している哲学者にもはっきりした答えはない。

たとえ入門書であっても、いや入門書である以上、「これで終わり」と思わせて安心させる――そして、もうそれ以上、学ばなくてもいいと思わせる――のではなく、どういう領域にどういう問いがあり、どう議論されているのか、読者に認識してもらったうえで、もっと知りたい、自分で考えたい、という願望を喚起する構成になっていないといけない。次に学ぶ目標が見えてこないなら、いくら売れても、入門書として失敗である。物理学とか生物学、心理学、歴史学の入門書だったら、そんなのは言わずもがなの話だが、「哲学」となると勘違いする人が多い。

無論、だからといって、学会誌とか大学の紀要に載せる論文から注を取って、ちょっと簡略化しただけのものを「〇〇哲学入門」というタイトルの本にすればいいということではない。それは、著者の怠慢である。入門書や解説書を書く以上、読者に伝えるべき最低限のことは何で、それはどのように書けば最大限伝わるか考えるべきである。誰が読んでも面白い入門書などあり得ない。だからこそ、どういうタイプの読者を想定し、どうやったらその読者に伝わるか考えないといけない。

そういう作業は、自分がやっていることの意味を原点に立ち返って問い直すきっかけになる。学者というのは基本的にみなそうだが、自分の同業者の目を過剰に意識し、同業者から露骨に非難されることなく、できるだけ高評価されそうな文章を書こうとする。それによっていつのまにか、みんなで、研究の本来の目的からズレていくことがある。特に実験結果とか、観察される事実、史料によって結論を検証できる自然科学や歴史学、社会学と違って、私たち自身が使用している概念を徹底して分析することによって探求を進めていく哲学では、そういうことになりがちだ。

〝ハイデガー研究者〟――本当は、個人名に続ける形で、◇◇研究者を名乗る者が存在すること自体がどうかしているのだが――という狭い括りの中でさえ、現象学とのつながりが強い初期の研究をやっている人、『存在と時間』から一九三〇年代半ばくらいまでの時期の研究をやっている人、『哲学の寄与』に重点を置いている人、戦後の四方位の問題に取り組んでいる人、キリスト教神学との関係を重視する人の間では、話題や用語が違いすぎて話が通じないことさえある。そうなってくると、「哲学」にとって本当に意義のある研究なのか、自己満足やサークル維持のためにやっているのかわからなくなる。ちゃんとした入門書・解説書を書くことには、そうした夜郎自大な傾向を是正し、自分が何をやっているのか再認識するというポジティヴな意味もある。本書は、著者である私にとってそういう意味がある。

本書では、哲学研究の諸領域において——私から見て——現在最もホットな五つのテーマを取り上げ、その議論のおおよその状況を概観していく。**正義論**、**承認論**、**自然主義**、**心の哲学**、**新しい実在論**の五つである。これらをめぐっては、異なったバックグラウンドを持った理論家たちが分野横断的な議論を繰り広げている。私は現代的なテーマを論ずるに際しては、その前提となる哲学史的な基礎知識——例えば正義論を解説する際には、ロールズの正義論の前提となる、一九世紀後半以降の正義をめぐる倫理学や政治哲学の議論——をできるだけ盛り込むことが多いのだが、今回は思い切って割愛することにした。ヒントは出しておくので、読者自身で調べてもらいたい。

また、それぞれのテーマが浮上してきた歴史的・社会的背景に関する記述も、最低限に抑えることにした。そういう方面に突っ込みすぎると、「哲学」が、何か特定の社会問題解決のための便利なツールであるかのような話になってしまうからである。「哲学」が社会の中に現実に生きている人間の問題関心と関わっており、現実の変化と哲学の議論状況が連動しているのは確かだが、「哲学」は経済学や政治学、法学のような政策学ではない。たとえ現実にそうなる可能性が極めて低いことでも、それが起こった場合はどうなるのか、どうすればいいのかきちんと考えるのが「哲学」である。現実離れしているとか机上の空論とか言われても、気にすべきではない。

五つのテーマのエッセンスを取り出し、哲学者たちが何に関心を持っているか提示することで、古代ギリシア以来、抽象的な概念を追いかけてきた「哲学」がどういう営みかを明らかにしたい。

現代哲学の最前線　目次

校閲　髙松完子
DTP　角谷　剛

第 1 章

正義論

公正な社会はいかにして根拠づけられるか？

ロールズの『正義論』は何が画期的だったのか

ジョン・ロールズ（一九二一～二〇〇二）の『正義論』（一九七一）が刊行されて以降、西欧の倫理学と政治・法哲学は、彼がこの著作で定式化した、「正義」の構想の是非をめぐって展開するようになった。それは、**少なくとも西欧の立憲民主主義国の国民の大多数にとって受け入れ可能な正義の諸原理を、合意によって採択したうえで、それに対応する政治的体制を構築する構想**である。

ロールズの正義論の何が画期的であったのか？ それは倫理学に対するインパクトと、政治・法哲学に対するインパクトに分けて考える必要がある。前者に関して言うと、ロールズによって、従来メタ倫理学中心だった英米の分析哲学系の倫理学が、人間が行動の基準とすべき正義の原理にはどのようなものがあるか、それが社会的に広く実行されるようになるにはどのような制度が必要かといった、実体的な価値判断に関わることに議論の軸を移すようになったことがある。メタ倫理学とは、「善い／悪い」「正しい／間違っている」などの、道徳的な性質を持っているとされる言葉や、それらを使う文はどのような意味を持っているか、それらを含む判断はどのようにして成立するのかといった、道徳を成り立たせる基礎を扱う倫理学である。

英国の哲学者で、分析哲学の創始者の一人とされるジョージ・エドワード・ムーア（一八七三〜一九五八）の『プリンキピア・エチカ（倫理学原理）』（一九〇三）が、メタ倫理学の方向性を決定づけたとされる。それまで倫理学者たちがメタ倫理学に力を入れていた動機をあえて想像すれば、「道徳的価値をめぐる世の中の争いに自ら参入し、対立する陣営のどちらかに強く肩入れするのは（哲）学者にふさわしいことではないし、そんな論争には決着がつきようがない。そんなことに関わるよりは、ムーアが見事にやったように、道徳的判断とは何かといった厳密に分析することが可能な問いを探求する方がはるかに生産的だし、哲学者らしいではないか」という感じだろう。価値観や生き方が多様化し、人々が「哲学」に社会や政治を導く役割を期待しない現代では、ソクラテスやプラトンのような実践はできない、というのが多くの哲学者の本音だったろう。

そうした流れに抗して『正義論』は刊行された。ロールズが『正義論』の中で、それぞれ自由で平等な立場にある人々が、それぞれの自由な生き方を尊重しながらも、限りある資源を有効に使って幸福を追求するために協力し合う準備があるという前提で考えた場合、彼らが理性的に思考したらどういう種類の「正義」の原理、つまり社会設計の原理を選ぶかを、厳密な思考実験によってシミュレーションしてみせたことで、状況は一変した。

自分自身の価値判断をそのまま押し付けるのではなく、学問的に説得力のある形で、社会にとってふさわしい「正義」について語る道が開けてきたのである。

戦後リベラルからの期待

『正義論』の政治・法哲学的なインパクトとしては、功利主義に代わる政策決定の原理を示したことにある。「最大多数の最大幸福」というベンサムの標語で知られる功利主義は、一九世紀末以降哲学としてはさほど注目されなくなったが、政策決定の原理としては圧倒的な影響力を及ぼすようになった。理由は簡単である。一部の特権階級だけでなく、全ての人の福祉を向上させることが政治の目標であり、かつその目標は議会などの民主主義的な手続きによって最終的に確定するのが現代の自由民主主義の大前提だとすれば、普通に考えて一番合意を得やすいのが、できるだけたくさんの人を幸福にすることを目指す、功利主義だろう。功利主義だと、経済学の手法を使って個別の政策目標を立てやすい。経済学者ケネス・アロー（一九二一～二〇一七）などの、功利主義的な思考をベースとした数理的アプローチによって、厚生経済学や社会選択理論は大きく前進した。

数理によって武装した功利主義に、それとは異なる「正義」の原理で対抗するのは、素朴で時代錯誤な行為のように思われていた。だがロールズの正義論は、極めて理知的な計算から、非功利主義的な正義の原理が導き出され得ることを示した点で画期的であった。

この点と関連して、ロールズの正義論は、アメリカで一般的に「リベラル」と呼ばれる立場の哲学として期待を受けた、ということがある。第二次大戦後のアメリカで「リベラル」と呼ばれたのは、社会主義とは一線を画しながらも、経済的・社会的格差が極度に広がらないよう、政府が福祉政策などである程度社会構造を調整するのを認める立場である。民主党の主流がこの考え方だとされる。しかし、自由と平等の間でバランスを取るというのは、抽象的に言うと、アメリカのように全体としてかなり豊かになったけれど、格差も広がった国にとっては魅力的だが、具体的にどういう基準でバランスを取るのかがはっきりしない。

功利主義が分かりやすい基準を提供してくれそうだが、「最大多数」とは異なる選好を持つ人を切り捨てるようで、冷たい印象を与える。『正義論』は、少数者切り捨てにはならないけれども、自由な国の市民にとって合理的に受け入れ可能な正義の選択の可能性を示した点で、「リベラル」の正義論として最適だったのである。

無論、全ての論者がロールズに心酔し、彼の線に即して正義論を展開したわけではない。

功利主義系の厚生経済学者たちはロールズの方法の問題点を指摘したし、ロールズのそれとはっきり対立する「正義」の原理を示そうとした人たちもいる。それによって、「正義」をめぐる学際的な論争が活性化することになった。

二つの架空の装置――原初状態と無知のヴェール

ロールズの『正義論』は、自らが推奨する「正義」の原理を正当化するため、社会契約論の枠組みを用いる。社会契約論は、ホッブズの『リヴァイアサン』(一六五一)以降、国家の存在の正当化と、国家の使命を定義するための理論的枠組みとして発展した。国家権力が存在する以前の「自然状態 state of nature」において、一定の構造と機能を持った国家を作ろうという契約(潜在的合意)が成立していたとすると、話が分かりやすくなる。しかし、近代国家の基本的な仕組みと、国ごとの特徴が次第に確定し、改まって「国家」の役割を理論的に論じる必要性が薄れてきたことから、一九世紀以降あまり使われなくなった。

ロールズはその社会契約論の枠組みが、資源配分の問題を含む「正義」の原理の選択に応用できるのではないかと考えた。社会的制度や法律がゼロの状態で、人々が自発的に選んだ「正義」の原理に基づいて資源配分を行うのであれば、文句はないはずだ。

しかし、単純に多数決を取れば、ほぼ全員が自分にとって都合のいいルールを、正義の原理として推すことになるだろう。それだと、かつてベンサムが提案した、普通の選挙による議会制の下での功利主義とほぼ同じことである。他人とはかなり異なるマイナーな生き方をしている人、働いて稼ぎたくても様々な条件のためにその社会では十分活躍できない人は、多数派の都合を押し付けられることとなる。

そこでロールズが考案したのが、「**原初状態** original position」と「**無知のヴェール** veil of ignorance」という二つの架空の装置である。「原初状態」というのは、自由で平等に生きている人たちが、お互いの幸福追求のために協力し合うとき、どういう権利を各自に割り当て、共同で管理している各種の資源をどう配分すべきかについて話し合うべく集まっている状況である——ホッブズ、ロック、ルソーの「自然状態」とは違って、文明が発達していない原始的な状態という意味合いは含んでいない。

「無知のヴェール」は、人々がどういう原理を採択した場合、自分に有利／不利になるかわからなくするよう、その人の当該社会の中でのステータスに関する基礎的情報を一時的に忘却させる装置である。その情報とは、性別、年齢、身体的能力、財産、ライフスタイルの特殊性などが、全体の中でどの辺に位置するかに関するもののことだ。ただし、その社会全体でそれらの属性がどのように分布しているか、統計的数値は認識している。そういう状態では、自分の利益のために、特定の階層を依怙贔屓《えこひいき》するような〝正義〟の原理は採用できない。

一見、無知のヴェールの下に置かれた人たちは、いかなる判断も下せない宙吊り状態に置かれそうに思えるが、そうではない。彼の推測では、「無知のヴェール」によって情報遮断された人たちは、自分をその社会の中で「最も不遇な人たち」の一人であると想定したうえで、「最も不遇な私」にとって一番有利であると合理的に考えられる選択肢を選ぶ。「最も不遇な人」とは、どのような種類の競争でも最下位になる可能性が高い人ということだ。

最底辺にある私にとって、社会の上層との格差が大きくなりすぎるのは嬉しいことではない。しかしだからといって、平等の実現を優先するあまり、個人の選択の「自由」がない社会になることや、能力がある人がみんなのためにタダ働きさせられていると感じてやる気をなくしてしまう、活力のない社会になることは望まないだろう。そうなったら、自分も苦しくなる。そこで、弱者である「私」にとっても利益になるような格差であれば、許容するのではないかと考えられる。

なぜ人々は正義の構想に合意するのか

ロールズは、人々は以下の二つの原理を核とする正義の構想を、自分たちが建設しようとする社会のために選択することに合意するだろう、と主張する。第一原理は、基本的諸自由を最大限に保障するための制度的枠組み（scheme）を各人に平等に保障する、というものである。第二原理は、社会経済的不平等を許容する条件を定めるもので、二つの部分からなる。（a）その不平等があることで、その社会で最も不遇な人の期待便益を最大に高めること（＝**格差原理**）。（b）その不平等が、公正な機会均等という条件の下で全員に開かれた職務や地位に付随するものでしかないこと。

第一原理は第二原理に優先される。自由で平等であることが彼らにとってデフォルトの状態であり、協力し合うことでより幸福になるための社会契約でそれを失ってしまっては、元も子もないからである。基本的諸自由のための制度的枠組みというのは、言論・集会の自由、良心の自由、人身の自由、政治的自由（参政権や公職就任権）、私有財産を保持するなどの基本的諸自由が、相互に矛盾することなく、お互いの自由を侵害することにならないように調整する仕組みである。

第二原理の（b）は、少し分かりにくいが、これは（a）の条件の下で、相対的に最も不遇な立場に置かれることになる人が、産まれ育ちや能力によってあらかじめ事実上特定されたり、固定化されたりすることがないよう、人々を可能な限り公平に扱うことを意味する。例えば、医師、法律家、大企業の経営者、理工系の先端分野の研究者などは、社会貢献するためのインセンティヴとして、他の人たちよりも多くの便益を認めた方がいいと考えられる。しかし、特定の家系に属することや、両親の財産・教養・社会的地位、本人の性別・ジェンダー、人種・民族、宗教、生まれ育った地域的環境、その職業に適しているとされる才能を幼少時から有しているか、といった要因であらかじめ誰が選ばれるかほぼ決まっているとすれば、強い不公平感や劣等感を抱く人は少なくないだろう。（b）はそうした不公平さを取り除くということである。

無論、ロールズは「無知のヴェール」の下にある人が、こうした正義の二原理を選択すると最初から断言しているわけではない。彼は「無知のヴェール」の下にある当事者たちが、平等な自由と、協働に際しての負担と分配の公平を実現するには、どのような正義の構想が有望であるか、むき出しのエゴイズム、古典的功利主義（最大多数の最大幸福）、卓越性原理、平均効用最大化原理など、他の考えられる選択肢と比較考量したうえで、最終的に「正義の二原理」に至るであろうことを論証することを試みている。特に、平均効用最大化原理を核とする正義の構想は、有力なライバルであると認めたうえで、両者の対比を詳細に行っている。

ロールズは、平均効用最大化原理ではなく、正義の二原理が選ばれる理由として、「**最終性 finality**」と「**公示性 publicity**」を挙げている。「最終性」というのは、一度、その正義の原理に従って社会が構築されると、取り返しがつかないので、当事者たちはたとえ最悪の事態が我が身に生じたとしても後悔することなく、自分がそれにコミットし続けることができるかどうかを吟味するということである。「公示性」というのは、選択された正義の原理が現実化しているかどうかがみんなにはっきり分かる、ということである。すでに述べたように、第二原理、特に格差原理の部分は最悪の場合を想定して、最悪の程度をできるだけ小さくすることを基準にして選ばれるわけだから、「最終性」の条件により適合する。また「格差原理」で、その社会で最も不遇な人に照準を当てて、正義の原理の充足度が図られるわけであるから、「公示性」の条件にも適合する。

ロールズによると、**正義の二原理を公共的に承認することは、各人が自分が社会から価値**

ある存在と認められているという確信、自己肯定感を抱くことにつながる。第一原理によって各人は他の人々と対等な自由な主体として認められ、第二原理によって、たとえ仲間の内で最も不遇な立場に置かれたとしても、その状況を改善することに配慮を払ってもらっていることになるからである。それによって、各人は自らの「善の構想」――自分の人生の目的を定め、それを実現するための構想――を、自信をもって追求できるようになり、自尊と相互尊重の姿勢を培うようになる。

厚生経済学者たちの批判

正義に関する公共的な理念によって支配される社会――ロールズ自身の用語では、「よく秩序づけられた社会 well-ordered society」――の建設に向けて具体的なヴィジョンを示した『正義論』に対する反響は大きかった。「リベラル」な政治の哲学的基礎として歓迎し、受容・発展させていこうとする支持者が増える一方、彼の理論に含まれる問題を鋭く指摘する論客たちもいた。ロールズが、「無知のヴェール」のかかった「原初状態」をかなり厳密に定義し、他の諸構想ではなく、「正義の二原理」が選ばれるに至る推論の過程を明示したため、その論理の穴を探しやすくなった。

初期の批判の中で目立ったのは、功利主義的な前提に立って、財の再分配の問題を考えてきた厚生経済学者たちである。改めて説明しておくと、「厚生経済学 welfare economics」というのは、国民の福利を最も効果的に改善するのに政府はどうすべきかを考える経済学の分野である。二〇世紀初頭に新古典派の経済学者らによって開拓され、戦後アメリカを中心に理論的に発展した。その第一人者である**ケネス・アロー**（一九二一〜二〇一七）はその論文「ロールズ正義論についての若干の序数主義的功利主義者的な覚書」（一九七三）で、『正義論』の論証の問題点を指摘する。「序数主義的功利主義 ordinalist utilitarianism」とは、ベンサムのように、「効用 utility」を客観的な数値として計測・集計する（＝基数主義）のではなく、それぞれの効用の間の順位だけを問題にしようとする立場である。例えば、三〇〇グラムのトーストを食べることによって得られる効用は、その人の嗜好性や栄養・健康状態、社会的な習慣で異なるので、客観的に数値化できないが、これと二〇〇ミリリットルの缶コーヒーのどちらをより好むか、一五〇グラムの牛肉の場合はどうか、というような順位づけ（選好）は、本人に答えてもらうなどして決めることができる。そうやって得られた序数に基づいて、効用の最大化を図るわけである。

アローは、経済学の議論と親和性のある哲学的な正義論を提示したロールズの仕事に歓迎の意を示したうえで、類似のテーマに取り組んできた専門家として、彼の議論の厳密さを欠く点を指摘している。主な論点は、無知のヴェールの下にある当事者たちの選択、「**自由の優先**」と「**マクシミン原理**」に関わるものである。「自由の優先」というのは、自由権における平等が第一原理として選ばれるということであるが、アローはこれが、功利主義者と、ロールズ流の正義の二原理を支持するリベラル（左派）を決定的に分かつものであるというロールズの主張に疑問を呈する。

もし人々が「自由」という「基本財」を第一に選好するということが経験的に実証されるのであれば、「無知のヴェール」の下にある当事者たちが、功利主義的原理に基づく正義の構想を採択したとしても、その構想には第一原理と実質的に同じ内容が含まれる、と考えられる。実際、現代の功利主義者の多くは、経済的な富などよりも、自由を優先するという方針に合意するだろう。そう考えると、功利性原理ではなくて、正義の二原理でなくてはならないというロールズのこだわりはさほど意味がないことになる。

「マクシミン原理」というのは、格差原理のことだが、「マクシミン」という言い方は、ロールズがこの原理が選ばれる根拠として、ゲームの理論におけるマクシミン解、もしくはミニマックスの概念を援用した、「マクシミン・ルール maximin rule」を導入していることに由来する。ゲームをやっていて、考えられる次の一手のそれぞれについて、最悪の場合に得られるポイントはどれだけかを比較し、その値が一番高いものを選ぶのがマクシミン戦略だが、ロールズはそれを、「無知のヴェール」の下で、自分が社会の中でどの辺に位置することになるか不確実な状況での、社会の基本構造の選択の問題に応用したわけである。

単純化のために、ABCの三人だけから成る社会の年収の問題として考えてみよう。以下の三つのパターンがあるとする。

（1）A　200万円　B　200万円　C　200万円
（2）A　400万円　B　600万円　C　800万円
（3）A　300万円　B　700万円　C　1200万円

厳格な社会主義的平等主義者であれば、（1）を選ぶだろう。最大多数の最大幸福、あるいは平均効用最大化原理を信条とする功利主義者であれば、（3）を選ぶだろう。マクシミン・ルールに従って、自分にとって最悪の場合を想定する人は、（2）を選ぶだろう。現実の社会では、全ての人がマクシミン・ルールに従って、（2）を選ぶとは考えにくいが、そこで「無知のヴェール」が意味を持ってくる。

「無知のヴェール」の下で当事者たちは、自分がどういう信条に従って生きているのか、どれだけ稼げる能力を持っているのか、他人と比較することはできない。ただ、先に述べたように、どういうタイプの人がどれくらいの割合で存在するかという一般的なデータだけは知っている。そこで、どんな信条やアイデンティティの人にとっても、等しく望ましいこととして、マクシミン・ルールに一番適合する正義の構想を選ぶことになるだろう、というのがロールズの考え方の筋道だ。「無知のヴェール」の下にある人は、急に〝いい人〟になるのではなく、自分がどんな人生を送っているとしても、とにかく最悪の事態が生じた場合に備えようとするはずだ、というのである。

この考え方は、各種の保険契約を成立させ、公的に運営される医療・年金などに対する人々の支持の根底にある、人間のリスク回避傾向に対応しているので、期待効用の最大化に賭ける功利主義的な原理よりも現実的に見える。**しかしアローに言わせると、マクシミン原理に厳密に従うことは、深刻な矛盾を生じさせる。**

例えば、その社会に、生命維持装置につながれて機械的に生かされているだけで、通常の意味での幸福を経験することができない人が一人でもいるとする。その社会にマクシミン原理＝格差原理を適用すると、医療技術の発展によってその人の状態が改善できるという合理的な期待がない限り、格差の存在は許されないことになる。そういう発明が見込めるのならいいが、そうでなければ、科学技術を発展させ、多くの人がより豊かな生活を送ることができるようにすることは許されないだろう。あるいは、その人を治療する医療技術の開発のために、経済発展の成果を全て注ぎ込み、他の人の生活水準は、辛うじて生きていられる最低水準に留まる、ということになるかもしれない。

マクシミン・ルールは非合理的？

ハンガリー出身で、ゲームの理論で先端的な仕事をし、それを厚生経済学に応用した**ジョン・ハーサニ**（一九二〇～二〇〇〇）も、「マクシミン原理は道徳性の基礎になりうるか――ジョン・ロールズの理論の批判」（一九七三、七五）の中で、マクシミン・ルールの扱いに関してロールズを批判する。ハーサニ自身、一九五〇年代前半から、「選択されたシステム」の中での「自らの相対的位置がどうであるかについての完全な無知」の状態という、「無知のヴェール」と類似の仮定の下での、社会的厚生の選択をめぐる問題に取り組んでおり、ロールズとはある意味ライバル関係にあった。ハーサニはそれまでの自らの議論の蓄積を踏まえて、「無知のヴェール」の下ではむしろ「平均効用原理」が選択される可能性が高いと主張する。

アローと同様にハーサニも、現実の社会的行動に適用した場合のマクシミン・ルールの非合理性を指摘する。ニューヨークに住んでいる人が、シカゴで今よりいい仕事があるという情報を得たと仮定してみよう。当然、シカゴに行きたくなるはずだが、そのためには飛行機などの交通手段を使わないといけない。そうすると事故によって死ぬという最悪の確率が増す。マクシミン・ルールは想定される最悪の事態を避けることを命じるから、その人はニューヨークに留まらざるを得ない。マクシミン・ルールに従って、リスク回避を最重視して生きる人の人生はかなり窮屈なものになり、結果的に不幸になりそうである。

さらに言えば、格差原理が社会の基礎構造を規定するものとして採用されると、道徳的に許容しがたい帰結が生じる。一人の医者と、二人の患者から成る社会があるとする。二人とも結核にかかって深刻に苦しんでいる。Aは普段は健康であり、結核から回復しさえすれば、健康な生活を送れることが確実である。それに対しBは末期がん患者なので、結核から回復しても長く生き残れないことは確実だ。しかし、結核治療に効果がある抗生物質は一人分しかない。格差原理を適用すれば、最も不運な境遇にあるBに抗生物質を与えなければならない。それに対して、平均効用原理であれば、その後幸福な人生を生きることができる可能性が高いAに抗生物質を与えるべき、ということになる。

こうした批判に対して、ロールズは論文「マクシミン基準を支持するいくつかの理由」(一九七四)で応答を試みている。まず、マクシミン・ルールに含意されるリスク回避について、ロールズは、自分が想定しているのは「普通の人」が示すリスク回避傾向であって、ハーサニが言うようなあらゆるリスクを回避しようとする極端な人のそれではない。マクシミン・ルールは、古典的功利主義のように、個人的なリスクを全く無視して、全体の幸福の最大化を、全員が望むかのような想定がおかしい、ということを示唆する。「普通の人」に平均的に見られるリスク回避傾向を、個人の「効用」に組み込むのであれば、功利性原理と正義の二原理の違いは、相対的なものでしかない。「無知のヴェール」の下では、功利主義による選択が、マクシミン・ルールのそれに接近し、さほど大きな差がないだろうことは、アローなども認めているはずである。また、格差原理は、各個人に直接適用されるものではなく、社会の基礎構造を規定する原理であるから、アローやハーサニのように、最も不遇な状態にある個人と、それ以外の全ての人を対置するような状況設定は見当外れである。「最も不遇な人」に分類される人々の集団に対して、格差原理がどういうマクロな効果を及ぼすか考えないと、意味はない。

このようにしてロールズは、アローなどの半ば意図的な誤読を斥けたうえで、自由で平等で、かつ「善の構想」の追求のために必要な「基本財」の産出に協働する諸個人にとって、どうして「正義の二原理」が、「平均効用原理」を中心とする構想よりも魅力的なのか、という倫理学的なフィールドに議論の焦点を移す。先に見た「最終性」と「公示性」という点から見て、人々の間に自尊と相互尊重を培うには、第一原理を、格差原理＋公正な機会均等原理で補充する正義の原理の組み合わせが最適だということを再度主張したのである。

それに加えてさらに、格差原理は、人が自らの努力によって獲得したのではない各自の能力を、純粋にその人だけのものではなく、ある意味、みんなのために使うべき「集合的資産 collective asset」である、という感覚を共有することにもつながる。他者より優れた才能を授けられた人は、別に後ろめたさを感じる必要はない。それをみんなのために使うよう託されていると感じて、その能力を全面的に開花させ、社会の発展に寄与すべきなのである。人々は、協働することにいかなる苦痛も感じることなく、満足感を得られるだろう。

こうした、**人々の間に社会的な絆が〝自発的〟に形成されるような状態が、ロールズ正義論の目指すところであり、格差原理は再分配機能だけでなく、そうした含意を象徴する役割も担っているのである。**しかし、そうした論法で再分配を正当化するのは、個人の自由、特に経済活動の自由を最重要視するリバタリアン（自由至上主義者）にとっては、国家や社会による自由の侵害を正当化する、許しがたい考え方であった。

ノージックのオルターナティヴ――福祉や協働は強制されてはならない

先に見たように、アメリカでは第二次大戦以降、再分配によって経済的格差を縮小し、幸福追求のための条件整備を目指す、平等主義的な立場が「リベラル」と呼ばれるようになった。ローズヴェルト大統領の下でのニューディール政策と、「欠乏からの自由」という理想がその原点になった。それに伴って、本来の意味での「自由主義者」、政府による個人の経済活動への干渉を最小限にして、所有権の保障という本来の任務に集中すべきだとする考え方が「リバタリアニズム（自由至上主義）」と呼ばれるようになった。彼らから見れば、「リベラル」のやっていることは国家権力の不当な拡張であり、社会主義への妥協である。

「リバタリアン」には、ハイエク（一八九九〜一九九二）やミルトン・フリードマン（一九一二〜二〇〇六）のように、経済学的見地から政府の介入の非効率性を説く論者、国家の存在自体が犯罪だとして国家制度の全廃を主張するアナルコ・キャピタリスト、財産の相続を排除してスタート地点を平等にしたうえで自由競争させるべきとする左派リバタリアンなど、様々な立場がある。その中でもロールズのそれに代わる、正義の構想を体系的に展開し、政治哲学としてのリバタリアニズムを確立したのが、哲学者の**ロバート・ノージック**（一九三八〜二〇〇二）である。

ノージックは、『アナーキー・国家・ユートピア』（一九七四）で、**社会契約論による推論で導き出されるのは、各人の所有権を守ることを唯一の任務とする「最小国家」であって、再分配という名目で所有権を侵害する「拡張国家」は正当化されないと主張している**。彼によると、社会的正義の基礎になるのは「保有物」をめぐる以下の三つの原理である。それは、①「**獲得の正義の原理** principle of justice in acquisition」、②「**移転の正義の原理** principle of justice in transfer」、③「**不正の矯正の原理** principle of rectification of injustice」である。つまり、労働などの正当な仕方である物を獲得するか、その人物から公正なやり方でそれを譲り受けた者にしか、ある物を保有する資格はないということである。①と②によらずに物を保持しているとすれば、それは不正であるから、③によって原状回復しなければならない。

財産権の正統性を、歴史的な起源と経緯という見地から考えるのであれば、この三つの原理の組み合わせで考えるしかない。財の再分配は、②に従って、個々の持ち主の同意に基づくべきで、国家などが強制するのはおかしい。このように、所有権をその起源にさかのぼって基礎づけ直す自らの思考の筋道を、ノージックは「**権原理論** entitlement theory」と呼ぶ。「権原」とは英米法の用語で、権利や利益を受ける正当な資格のことを指し、法の適正な手続きなしには奪えないとされる。所有権を始めとする財産・契約関係の権利か、年金などの福祉の受給権の関係で使われることが多いが、ノージックは当然、後者の意味を排除する方向で「権原」を再定義している。

ノージックは「権原理論」を起点にして、自由な諸個人の権利と、「国家」「正義」の関係を、非ロールズ的な仕方で再構成する。彼の定義では、「国家」は以下の二つの条件を満たすものである。①領域内の実力を独占し、その正統性を主張すること、②領域内に住む全ての人に保護サービスを提供すること。これを前提に彼は、「自然状態 state of nature」

（「原初状態」ではない）の人々が、所有権を中心とする自らの権利を守るために作った「保護協会」が次第に専門化・企業化すると共に規模のうえでも拡大し、「最小国家」にまで発展していく歴史的過程をシミュレーションする。

古典的自由主義の古典とされる『統治二論』でロックが記述しているように、「自然状態」の人々は、「労働」などに基づいて各人の所有を確定し、基本的にそれをお互い認め合っている。人間の本性に根ざした「自然法」が、各人に自己保存とともに、他者の正当な権原を認めるよう命じるからである。しかし、具体的なケースに即して「自然法」を解釈し、執行することは各人に委ねられているので、解釈の違いから争いが起こり、生命・身体・財産が危険に晒される可能性はある。ロックはそこから一気に、自然法を共同で行使するための「共同体」の形成、共同体から権力の行使を委任される「政府」の樹立を導き出すが、ノージックは細かく段階を分けて議論を進めていく。権力の不当な拡大の余地がないようにするためである。

人々はまず、お互いの所有権を全員が同じ立場で協力して守る「相互保護協会 mutual-protection association」を創設するであろう。しかし、これは早晩限界に突き当たるだろう。紛争が生じるたびに全員を集めるのは非効率的だし、たとえ必要に応じて一定の人数でことに当たるにしても、その人数や割り当てを決めるのは困難である。また、不満があるたびにみんなを呼び出そうとする、気の短い人間、喧嘩好きな人間に振り回される恐れがある。

そこで、クライアントと契約を結んで、権利保護、紛争処理のための専門的なスタッフを備え、契約料と引き換えに高度なサービスを提供する「私的保護機関 private protective agency」が誕生し、企業化するようになるだろう。しかし同じ地域に「保護機関」が複数存在すると、保護機関同士の対立が起こり、コストがかかるうえ、余計に危険な事態になるかもしれない。そのためいくつかの保護機関が合併して、効率性を高めていこうとする。それがどんどん大きくなっていくうちに、ある領域において保護サービスを独占的に提供する「支配的保護機関 dominant protective agency」ができあがると推測できる。

無論、「支配的保護機関」が支配する領域には、契約を結んでいない独立者がいくらか残るだろう。だから、トラブルが生じる余地はある。そこで「支配的保護機関」は、自らのクライアントの権利を侵害する可能性があるとして、非クライアントに対して一定の行為を予防的に禁止したうえで、自らには契約に基づいてそうする正統な権限があると主張するようになるかもしれない。その時のその機関は、先の条件①を充たすことになる。これをノージックは「**超最小国家** ultraminimal state」と呼ぶ。

しかし、害を及ぼす可能性があるにすぎないという理由で、行為を制約される非クライアントの人々は、自由を侵害され、不当な不利益を受けることになる。他人に害を及ぼす可能性があるにすぎない行為を禁止されることによって差別的不利益を受ける者は、この差別的不利益について、賠償されねばならない（＝賠償原理）。では、どのような賠償方法が双方にとって受け入れ可能か。個別に金額を決めて賠償するよりも、契約を結んでいないクライアントにも保護サービスを提供する方が効率的である。そうやって、「超最小国家」が、賠償原理に従って道徳的に振る舞うと、結果的に、領域内の全ての個人に保護サービスが提供されることになり、条件②も充たされ、「超最小国家」は「最小国家」となる。

このように、「権原理論」の観点から国家の役割を最小化すべきことを主張するノージックからすれば、ロールズの正義論は、人々が自らの権利や正義をめぐる問題をどのように解決してきたかという歴史的経緯を無視し、人々の社会・経済活動の結果だけ見て、その格差を調整しようとするものであり、その点では、（ロールズが自らの立場とはっきり区別しようとしている）社会主義と同じである。

ノージックは福祉や社会的協働を否定するわけではない。それらが、社会や国家の名で強制されることを問題としているのである。彼に言わせれば、国家による再分配の押し付けをやめれば、人々が本当の意味で自由に連帯し、同じ理想を持つ人同士で、その実現を目指した共同体を作ることが可能になる。

サンデルのロールズ批判とコミュニタリアニズム

七〇年代から八〇年代にかけて、アメリカでキリスト教原理主義が台頭し、それに対抗するように、様々なエスニック・マイノリティ、宗教マイノリティ、ジェンダー・マイノリティの運動が盛んになってくると、政治哲学の関心が再分配の是非から、文化的なアイデンティティや多元性に次第にシフトしていった。そうした中で、近代自由主義の前提になっている〝自律した個人〟と国家の〝価値中立性〟を疑問を抱き、人のアイデンティティは共同体の中での生き方によって形成されるものであり、政治は共同体によって共有される価値やライフスタイル（＝共通善 common good）を反映したものであるべきとするコミュニタリアンの理論家たちが台頭するようになる。

コミュニタリアンの哲学者には、近代人が失った「徳」の物語的性質や社会統合機能を論じたマッキンタイヤ（一九二九〜）、個人の権利だけでなく、文化的共同体ごとの集団的権利を認める必要を説くテイラー（一九三一〜）、「正義」の文化共同体ごとに異なる複合的な性格を強調するウォルツァー（一九三五〜）など様々な立場の人がいるが、ロールズとの対抗関係で重要なのは、日本でもNHKで放送された「白熱教室」で有名になった**サンデル**（一九五三〜）である。彼は『リベラリズムと正義の限界』（一九八二）で、ロールズの正義論を詳細に分析し、近代自由主義の核になる諸前提に含まれる問題を明らかにした。

サンデルが問題にするのは、「無知のヴェール」の哲学的・政治的な含意である。「無知のヴェール」の下にある人たちは、自らの能力や運の全体の中での相対的位置づけだけでなく、人種、性別、階級、善の構想、人生における価値や企図など、私たちが自分の人生の方向性を決める様々な重要な決定をする時の基準になるもの全てを忘れる。瞬間的にアイデンティティを喪失する。そうした自分を特徴づけるアイデンティティを喪失した状態を、サンデルは「負荷なき自己」unencumbered self」と呼ぶ。**「負荷なき自己」が、何を目的として、何を実現するために正義の構想を選ぶというのだろうか？　彼らは、自らの生の「目的 end」を知らず、どういう生が「善き生 good life」か知らないのではないか？**

サンデルはさらに、「無知のヴェール」によって当事者たちを「負荷なき自己」にするのであれば、契約論的な枠組みで議論をする意味がなくなることを指摘する。「契約」というのは、異なった利害や価値観を持つ人々が、意見交換を通して、互いの立場を認識し、どうして対立しなければならないのかを把握し、納得できる合意点に到達するプロセスである。**無知のヴェールによって固有のアイデンティティを失って、同じような個性のない状態になっている人たちは、どのようにして意見交換するのか？**

「社会契約」が、異なった立場の人たちが、社会の基礎構造のあるべき形について意見交換し、みんなが理性的に納得できる基準に基づいて、正義の原理を採用することだとすれば、文化的な「多元性」が前提になっているはずである。その肝心な「多元性」を隠してしまったら、意味のある合意を達成することなどできないのではないか？　にもかかわらず、功利性原理でもリバタリアン的な正義でも、徳を重視する伝統的な正義でもなく、「正義の二原理」を採択する、と断言できるのは不可解である。

自由主義の自己欺瞞

ロールズが想定する当事者たちは、現実の人間を特徴づける様々な個性を取り払われた「負荷なき自己」でいながら、普遍的な理性的判断能力を備えていて、それに従って、どのような個性の人でも受け入れる普遍的正義や権利を認知しているように見える。そうした正義や権利があるとすれば、それは、各人のアイデンティティによって変化する「善」に先行して、人間に備わっているものだということになる。サンデルは、それを**「善に対する正の優位（先行性）priority of the right over the good」**と呼ぶ。

サンデルに言わせると、「善に対する正の優位」は、ロールズに限らず、リバタリアンや自律を重んじるカント主義者、自由を功利主義的に基礎づけようとするミル流功利主義者など、あらゆる近代自由主義者の共通の前提になっている。この前提は、一般的に（自由主義的）国家の法や政治の中立性として知られるものだ。刑法や民法などの法律は、性別、宗教、信条、民族、階層、出身地などに関係なく、誰にでも平等に適用されるものであり、かつ、その基礎になっている正義は、誰から見ても同じように公正なものとして受容可能である。少なくともそういう建前になっている。そうでないと、正義は普遍的ではなく、党派性を帯びていることになる。国家は依怙贔屓していることになってしまう。

サンデルに言わせれば、国家というのは文字通りに中立的ではなく、「善に対する正の優位」は厳密には成り立っていない。格差原理を含む正義の二原理が、アメリカ的な意味での「リベラル」、自由と経済的平等を融合することを重視する人たちの「善」を強く反映していることに象徴されるように、自由主義国家が〝中立的〟なものとして呈示している法や政策は、実際には、特定の人たちが強く志向する「善」に根ざしている。見方を変えれば、特定の「善」と強く結びついた「正義」でないと、社会の中できちんと機能しない。

例えば日本の法体系は、個人が日本語で自由に意思疎通できる人、さらには、日本の学校で教育を受けた人、日本社会で一般的に通用している——家族関係、取引、企業内の人間関係、医療などについての——慣習を理解していることを前提にして作られており、そうでない人にとっても、同じように公正であるとは言いがたい。西欧諸国における信教の自由や政教分離に関する諸制度は、キリスト教内部の（カトリック、プロテスタント、英国国教会のいずれかに分類可能な）主要宗派間のバランスと、キリスト教と歴史的に関係の深いユダヤ教に対する寛容に主眼を置いており、それ以外の宗教や、宗教かどうか微妙なスピリチュアル運動のようなもの、宗教に取って代わろうとする世界観のようなもののことは、必ずしも念頭においていない。

自由主義は、自らが非中立的な文化のうえに成り立っていることを正直に認めてこなかった。その自己欺瞞が、「無知のヴェール」という不自然な理論装置に結実しているのである。

どういう領域で生活しているどういう人たちがどういう「目的」を追求しているのか具体

的に考えないと、彼らの間でどのような「正義」が要請されているのか特定できない。そのためには、共同体の中で培われ、各人のアイデンティティ形成に深く関わっている「**共通善**」にまでさかのぼって考える必要があるというわけである。

『民主政の不満』（一九九六）では、ネイティヴ・アメリカンの宗教儀礼で幻覚剤を使うことは認められるのか、日曜日を安息日とすることに根拠はあるのか、ネオ・ナチや人種差別主義者のグループにデモや集会の権利を認めないのは合憲か、何をもって表現の自由の適用を除外される猥褻《わいせつ》物になるか、といった、アメリカで現実に起きている法的問題を分析することを通して、手続きの中立性にこだわる手続き主義の限界を指摘する。同時に、アメリカは最初から手続き主義的な自由主義の国家ではなく、革命―建国期から一九世紀前半までは、家族、近隣、宗教、労働組合、改革運動、地方自治体など、人々が属する各種共同体の構成員としてのアイデンティティや習慣を重視し、それらを介して、公共的生活に積極的にコミットする姿勢（＝公民性 citizenship）を培っていこうとする、共和主義（republicanism）の伝統が根づいていたことを強調する――この場合の「共和主義」とは、古代の共和制のように、政治に参加する市民の権利と義務を重視し、公民的徳の涵養《かんよう》の必要性を説く立場である。

一九世紀後半以降、政治的な論議の主要テーマが経済・産業政策にシフトしていったことに対して、共和主義的な言説は次第に政治の表舞台から消えていったが、それでも労働関係法、経済活動に対する州政府の規制をめぐる議論に、共和主義的な考え方の残滓《ざんし》を認めることができた。手続き主義的自由主義が全面的な勝利を収めるのは、第二次大戦以降のことである。「善に対する正の優位」を当然視する人々は、私的権利や富の分配しか眼中になく、公共的生活への関心を失っていった。しかし、八〇年代から九〇年代にかけて、経済問題だけでなく、家族、学校、教会などの人格育成機能に再び注目し、コミュニティでの活動の必要性を訴える公民的問題関心が再び高まっているという。それは、「善に対する正の優位」という建前が崩壊し、「共通善」の政治が復活しつつある、ということだ。

重なり合う合意と公共的理性

サンデルなどコミュニタリアンの強い攻勢を受けた八〇年代後半以降のロールズは、探求の焦点を財の再分配から多文化社会における正義へと移していく。といっても、コミュニタリアンのように、文化ごとに異なる「共通善」を政治の中心に据えたのではなく、異なる文化に属する人たちの間で、「正」に関する現実的な合意が達成される道筋を考えるようになった。それはリベラリズムの相対化ではなく、議論の射程の拡張である。そうした新たな試みをまとめたのが、『政治的リベラリズム』(一九九三)である。

この著作のカギになるのは、「包括的教説 comprehensive doctrine」を奉じる集団の間での「**重なり合う合意** overlapping consensus」である。「包括的教説」というのは、政治的な正義と関わりのある宗教的、哲学的、あるいは道徳的な体系で、人生における価値や、人格的徳や性格の理想などを含んでいるものを指す。主にキリスト教、ユダヤ教、イスラム教の諸派のような、明確な教義を持つ宗教のことだと考えていいが、無神論やマルクス主義、カント的自由主義、功利主義的自由主義のような、まとまった人間観・価値観を持った思想に従って生きる人々の集団も念頭に置かれている。

アメリカのような多元的な民主国家には、複数の「包括的教説」を有する集団が存在する。それら集団の各々は、自由、平等、互恵、相互尊重など、その国の政治文化を特徴づける諸価値や、それらに基づき国家の立憲構造に反映されている「正義の構想」を基本的に受け容れていると考えられる。そうでないと、民主的な国家の中で他の集団と共存しながら、安定して存在し続けることはできないだろう。たとえ、自らの教えが唯一の真理であり、他の宗派は神を冒瀆《ぼうとく》しているという教義をもともと持っていた教団でも、個人の信教の自由や良心の自由、政教分離などの原則は、受け入れ、それを正当化する論理を発達させると考えられる。単に受け容れるというよりは、自らの教義はそうした（広く共有されている）基本的な価値を育むのに最適であると積極的に主張するようになるだろう。

そうやって、様々な包括的教説が、自らの（その国の政治文化に適応した）教義に基づいて、その立憲体制を支える基本的価値や基本的な正義の構想を共有している状態が、「重なり合う合意」である。そうした「重なり合う合意」の存在は、経験的事実として確認できることである。**「重なり合う合意」があれば、人々は異なった教説を信じたままでも、「正義」の構想を拡充するための公共的な議論を続けることができる。**ロールズの「正義の二原理」のように、現行の立憲体制よりも深いレベルでの合意やラディカルな制度の変更を必要とするような、正義の構想についても議論を積み重ねることができるのである。

その時に、市民たちが使用する公共的な論理が、「**公共的理性**（**理由**）public reason」である。「公共的」というのは、特定の教団、ローカルあるいはエスニックな共同体、大学、職業団体などの中だけで通用するのではなく、その社会全体で通用するということである。ある宗教団体が、直接的に自分の教義の言葉によって何らかの政策を定式化し、それを国会で法律にしようとしても、他の宗教や無神論の人は議論に応じないだろう。しかしそれを、憲法などの基本的な法や判例に書き込まれ、メディアや市民討論会で使われている、公共的な言語に基づく理由づけに翻訳して議論を提起すれば、その意見に反対する立場の人たちでも議論に応じ、「公共的理由」で反論せざるを得ないだろう。中絶や安楽死の問題を論じるのに、神の恩寵、予定、使命、救い、奇蹟……といった言葉ではなく、「生命の尊厳」や「自律」「自己所有」「他者危害原理」「クオリティ・オブ・ライフ」「幸福追求権」といった言葉で論理を組み立てるということである。

「重なり合う合意」が成立しているということは、「公共的理性」が共有され、「正義」をめぐる討論が可能になっているということである。「包括的教説」を信奉している人たちは、自分たちの団体の内部の言語と、「公共的理性」を使い分けることを学んでいく。「公共的理性」が機能していれば、サンデルの言うように、特定の共同体の「共通善」を直接引き合いに出さなくても、「正義の構想」について全社会的な論議を行うことは可能である。

「利益があるから」ではなく、理性的な理由があるから正しい

ロールズの「公共的理性」論は、ドイツの社会哲学者で、市民的公共圏やコミュニケーション的行為、討議倫理など、「コミュニケーション」をめぐる哲学的・社会学な議論をリードしてきた**ハーバマス**（一九二九〜）が『事実性と妥当性』（一九九二）という著作で呈示した「コミュニケーション的理性」による「熟議の政治」論にかなり近く、それまであまり接点がないと思われていた両者の理論的同盟関係がクローズアップされることになった。「コミュニケーション的理性」というのは、個々の主体に最初から内在しているものではなく、複数の主体の「コミュニケーション」を通して発動するものである。

　ハーバマスは、主体たちが市民社会の中で歴史的に発展してきた討議の規則や、すでに合意が成立し、普遍的なものとして通用している法・倫理規範に基づいて討論することが、民主主義の基本であることを強調する。当たり前の話のようにも聞こえるが、様々な利害を持つ集団の間で調整を行い、妥協に達するのが民主主義の本質だとする見方と対比すると、その意義が分かる。**多くの人にとって利益があるから正しいのではなく、理性的な「理由」があるから正しい、というのが民主的な決定の基本であるべき、という発想だ。**

　簡単に言うと、政治を、法廷のように、理由の組み合わせに基づいて結論を出す営みにするということだが、裁判とも違うのは、裁判官のような特殊な専門家の理性ではなく、市民に広く共有される理性と理由に基づいている、という点である。もう少し理論的に詰めると、いかなる暴力・圧力もなく、経済的な利害関係も、ローカルな慣習に由来するバイアスも影響しない「理想的対話状況 ideale Sprechsituation」の下で、人々のコミュニケーション的理性が認める規則と理由だけに基づいて合意され得る内容こそが、民主的な決定の基礎になるべき、というのがハーバマスの立場である。現実には、純粋な「理想的対話状況」などないが、これまでの近代化の歴史、民主主義や社会規範の発展史の中で、結果的に、「理想的対話状況」の下での合意に近いものが達成されてきた、と見ることができる。

これは、「無知のヴェール」の下での「正義の構想」の合意という極めて抽象的な議論と、「重なり合う合意」という経験的事実に基づく議論を、「公共的理性」によって接続しようとするロールズの発想と、考え方の筋道は異なっているものの、民主主義の基礎づけ論としてはほぼ同じ方向を目指している。両者の影響を受けたジョシュア・コーエン（一九五一〜）やエイミー・ガットマン（一九四九〜）、ジョン・ドライゼク（一九五三〜）などによって、哲学的な「**熟議民主主義** deliberative democracy」論が発展することになった。

潜在能力アプローチとアリストテレス

再分配の正当性をめぐる「リベラル vs. リバタリアン」論争とも、「善に対する正の優先」

をめぐる「リベラルvs.コミュニタリアン」論争とも異なる軸からの問題提起として、インド出身の経済学者**アマルティア・セン**（一九三三〜）による**潜在能力アプローチ**がある。

厚生経済学者であるセンは、当初、ロールズを含む自由主義者の正義論は、各人に固有のものとして割り当てられる自由の領域をどのように決めるかをめぐる逆説を抱えていることを指摘する形で、自由と正義をめぐる問題に関わっていたが、論文「何の平等か」（一九八〇）では、財の配分に焦点を当てるロールズなどの議論の射程に入ってこない「潜在能力 capability」をめぐる問題を提起する。『財と潜在能力』（一九八五、八八：邦訳タイトル『福祉の経済学』）で、「福祉」をめぐる従来の経済学的議論と、「潜在能力」アプローチの違いを体系的に論じた。

「潜在能力」というのは、簡単に言うと、個人が基本財を使いこなして、自分の幸福を追求できる可能性のことである。例えば、深刻な障碍《しょうがい》がある人であれば、格差原理に従って一定の財を分配されても、それを活用して自分に固有の「善の構想」を追求できないかもしれない。リベラル（自由主義者）であるロールズなどは、分配された財を各人がどう活用するかには立ち入ろうとしないが、センに言わせれば、そういうスタンスは福祉制度やそれに対応する公共のインフラが発達している西欧先進諸国ではいいかもしれないが、開発途上国ではそうはいかない。だからこそ財を活用するための「潜在能力」を高めて、自分で生活できるようにしておく必要がある。

無論、これは障碍者に限ったことではなく、全ての市民について言えることである。財の分配を調整する以前に、各人が「善の構想」を立てるのに十分な「潜在能力」を持てるよう、教育、医療、公衆衛生、交通、流通網などを整えておかねばならない。ベンガル地方出身のセンは、同地などで飢饉が起こる原因を分析した『貧困と飢饉』(一九八二)や人口・食糧問題と自由の関係を論じた『自由と経済開発』(一九九九)など、開発経済学系の仕事で、潜在能力を高めるための環境が整っていないことが問題の根底にあることを指摘した。

少し注意する必要があるのは、センが「機能 functioning」と「潜在能力」を区別していることである。「機能」というのは、例えば、「良好な健康状態にある」とか「社会生活に積極的に参加している」といったこと、つまり、現にその状態にあること、あるいは現にその活動をしていることを指す。功利主義など帰結主義の倫理学・政治哲学・経済学であれば、現に「達成されている機能 achieved functionings」から、その人や社会にとっての福祉の充実度を測ろうとするだろうが、センは「潜在能力」にこそ焦点を当てるべきだとする。**「潜在能力」は、いくつかの選択肢がある場合、どの「機能」を達成するのかという自由選択を含意しているからである。**「機能」ではなく、「潜在能力」に焦点を当てた「平等」論を展開している点で、彼はアメリカ的な「リベラル」である。

センの共同研究者である**マーサ・ヌスバウム**（一九四七～）は『女性と人間開発』（二〇〇〇）などで、文化的慣習やライフスタイルゆえに先進国の女性以上に潜在能力を発揮しにくい、インドなど途上国の女性の現状を分析している。多元的な視点を取るがゆえに、あらゆる人に必要な「潜在能力」のリストを作ることに慎重なセンに対して、ヌスバウムは、「潜在能力」の面で最も困難な状態にあると思われる女性に即して、どのような立場にあるのであれ最低限不可欠な「潜在能力」のリストを作り、それを人間の普遍的価値の擁護として正当化することを試みている。

ただし、ヌスバウムは、女性を従属的な位置に置く慣習の中で生まれ育ち、それが〝自然〟になっているがゆえに、普遍的な「潜在能力」のリストを受け容れない、そういうものを提案されても、戸惑ったり、迷惑がるであろう女性が存在することも認めている。これは、ノルウェーの分析的マルクス主義の哲学者ヤン・エルスター（一九四〇～）が『酸っぱい葡萄』（一九八三）で、「適応的選好形成 adaptive preference formation」と呼んだ問題で、フェミニズムやリベラリズムに限らず、個人の自由の拡大とラディカルな社会変革を同時に標榜する社会思想全般にとっての難問である。ヌスバウムは、適応的選好形成は、健全な人間性の発展ではないとしながらも、すでに適応してしまっている人に無理強いできないという立場から、ジレンマに陥っている。しかし、開発途上国でもこれまでかなり達成されてきた「重なり合う合意」は、ミニマルな「潜在能力」の普遍的リストを受け容れる方向に向かっている、というオプティミスティックな見通しを示している。

ヌスバウムは論文「非相対的徳：アリストテレス的アプローチ」（一九九〇）の中で、「潜在能力」論が、アリストテレス主義的な性格のものである、という見解を示している。アリストテレスは、ロールズの分配的正義論やサンデルの共通善論の源泉にもなった『ニコマコス倫理学』で、人間を人間たらしめている普遍的な「人間の機能 human function」を定義したうえで、それがポリスの中で一定の役割を与えられて活動している市民によって、どのように具体的に実現されるかを分析した。笛吹の機能が笛をうまく吹くことであり、彫刻家の機能がすぐれた彫刻を作ることであるように、人間には人間として達成すべき「善き生＝幸福」がある。アリストテレスはそういう前提に立ちながら、各人の生き方を経験的に観察することを通して明らかにしようとした。それは、人間の「機能」についての客観的な指標を明らかにしたうえで、それを充たすために具体的に必要なものを、ローカルな文脈に即して特定していこうとする「潜在能力」アプローチに通底する考え方である。この理解に、センもおおむね合意している。

常に普遍的なイデア（理念）を起点とするプラトンに対して、普遍と特殊、理論と実践の間でバランスを取ろうとするアリストテレスは、現代の正義論の様々の異なった潮流の共通の参照点になっている。

第2章

承認論

我々はどのように「他者」と認め合えるか？

「承認」をめぐる問題

近年、マスコミやネットで「承認」あるいは「承認欲求」という言葉をよく聞くようになった。自分が価値ある存在である、すぐれた能力、容貌、地位などの持ち主であることを、世間の人たちから認められることである。無論、そういう欲求はほとんど全ての人間に見られるが、いわゆる承認欲求の強い人は、本人の実情からかけ離れた高い資質を持っていると、他人から認められようとして必死になる。思ったように承認されないと自暴自棄になり、仕事や勉強、家事が手につかなくなる。ネット空間では、承認欲求に突き動かされた多くの人たちが、自分だけ認められようとして、様々なトラブルを起こしている。

こうしたマスコミやネットで言われている「承認欲求」は、直接的には、アメリカの心理学者アブラハム・マズロー（一九〇八〜七〇）の「欲求needs」の五段階説に由来しているようである。五段階というのは、低次から順に、「生理的欲求→安全の欲求→所属と愛の欲求→承認欲求→自己実現欲求」で、「承認 esteem」は四段階目である。他人から高い評価を受け、尊重されたいという欲求である。

現代哲学でも、一九九〇年代から文化的あるいはジェンダー的な「承認」をめぐる問題が、正義論あるいは自我理論の重要なテーマとして浮上している。この場合の「承認」に相当する英語は〈esteem〉ではなく〈recognition〉であるが、想定されている内容はほぼ同じである。「承認」をめぐる哲学議論には、一九世紀初頭以降、二〇〇年近くの歴史がある。ただ、「正義」「権利」「労働」「権力」など、他のテーマとの関連で論じられることが多く、これまで単独で注目されることはあまりなかった。しかし冷戦の終焉や社会・政治情勢の変化、それに対応する哲学・思想史的な関心の変化の帰結として、近年「承認」それ自体に関心が持たれるようになったのである。

主体の条件としての承認

本章では、「承認論」の意義と課題を明らかにしたいが、その前提として、現実と思想の二重の変化について詳しく解説する必要がある。

思想面での変化というのは、端的に言えば、第一章で見たリベラリズムとコミュニタリアニズムの対立の焦点でもあった、**正義について判断し、実践する「主体」についての見方の変化である**。ロールズの正義論は、「無知のヴェール」の下でも自分にとって最も有利な選択について考えることができる合理的な主体を前提にしていた。それに対してサンデルは、〝自己のアイデンティティを見失った主体〟など考えられるのか、仮にそういうものが存在し得るとしても、合理的な選択ができるのか、という疑問を投げかけた。

デカルト以降の近代の社会哲学・倫理学や認識論は、ロールズ的な意味での合理的な主体を前提としてきた。しかし現代においては、〝合理的に判断できる、自律した主体〟や、そうした主体になり得る、安定したアイデンティティを有する「自己」を前提として、社会的正義や、人間の認識能力について語ることに果たして意味があるのか、という根本的な疑念を抱く人が、(分析)哲学者の間でも次第に増えている。現実の人間はそんなに合理的に判断・行動しない。我々は認知バイアスの塊である。ジェンダーやエスニックなアイデンティティによって、人の考え方はとうてい理解し合えないくらい隔たっている。しかもそのアイデンティティも、どういう環境の下にどういう属性で生まれてきたら、どういうアイデンティティ意識を持つのかは決して自明でないし、成人してからも、生活環境や人間関係の変動に伴って大きく変化する可能性がある。

それなのに、〝普遍的な合理性を備えた、自律した主体〟の視点に立ち、自分たちがそういう主体であるかのように議論しても空しいだけではないか? それは現実から遊離したただの学者同士の知的ゲームにすぎず、応用の可能性はないのではないか?

そこで、「承認」論の出番がやってきた。**哲学的な「承認」論は、我々が〝普遍的な合理**

性を備えた、自律した主体〟になるには、あるいは完全にそうした存在になれなくとも、それに近づくには、何が必要か、どういう条件をクリアすべきか、という前提に関わってくる。他者からの「承認」が必要、というのが承認論者の答えである。しかし、どういう意味で、「承認」が「主体化」の条件と考えられるのか。

そうした意味での「承認」論の意義を明らかにするために、「主体とはどのような存在であるのか」をめぐる、昨今の議論状況を振り返っておかねばならないのである。

「主体」をめぐる思想史的攻防——ロマン派やニーチェの批判

サンデルの「負荷なき自己」批判やセン＝ヌスバウムの「潜在能力」論を通して見えてくるように、価値中立性を建前とする自由主義系の正義論は、人間は普遍的理性を備えており、最も肝心な問題については〝同じように〟合理的に判断できることを前提にしている。性別や民族、宗教などは違っていても、各自の自我の中核部分に備わっている理性は普遍的なので、法や正義の核となる「正義」の原理について自発的に合意できるということだ。自由主義と対立する関係にある功利主義も、別の仕方で、人間の価値判断の普遍性と合理性を前提にしていた。人間の価値判断が個人ごと、状況ごとにばらばらで、普遍的な規則性を見いだすことができなければ、効用計算はできないからである。

人間の普遍的理性を強く押し出す傾向は、倫理学や政治・法哲学で特に際立つが、デカルト以降の近代哲学全般、特に第二次大戦以降、哲学を牽引してきた、英米の分析哲学にこの傾向が見られる。分析哲学は、その真偽を数学のようにはっきり確定することが可能な論理的な命題に限定して議論を進めていこうとする。真偽が曖昧になりそうな複雑な文は、真偽を確定できそうな要素命題や、そうした命題の構成要素になり得る明晰な概念に分解する。分解し切れないで余ってしまうものは、無意味として切り捨てる。そうやって純化することで〝普遍的〟な論理を抽出することが、ロールズやノージックもその一翼を担うとされる分析哲学の特徴だ。人間には数学や論理学では把握できない非合理的な部分もあるが、そういう部分は文芸・芸術批評などに任せ、理性的な主体としての論理的思考を解明することが「哲学」の使命と考える。

普遍的な理性を備えた主体を想定することで、哲学を論理学化しようとする試みに対する抵抗は、ヘーゲル（一七七〇～一八三一）によって理性中心の哲学体系が完成された一九世紀初頭からあった。ヘーゲルと同時代を生きた、フリードリヒ・シュレーゲルやノヴァーリスなど、ドイツ・ロマン派の論客たちは、人間の自我の内には自我自身が知らない無意識の領域が潜んでいること、そこは既成の秩序を守る「理性」よりも、秩序を絶えず解体し、再創造する「想像力」が支配する場であると主張した。「理性」が個々の主体の内で働くのに対し、想像力は個々の主体の間の、言語や身振りを介した相互関係や、道具や芸術などの形で作品化したものを介して、主体超越的に作用する。そうした媒介を経るがゆえに、純粋に普遍的ではなく、歴史性と地域性を帯びる。シュレーゲルなどの影響を受けたロマン派の思想家・芸術家たちは、そうした「無意識—想像力」の領域が人間の生活にとって「意識—理性」のそれより重要であることを、芸術や神話、民間伝承の研究を通して示そうとした（こうしたロマン派思想の特徴については拙著『増補新版　モデルネの葛藤』［作品社］を参照）。

一九世紀の九〇年代から世紀転換期にかけて、「理性」の本質は、自己の力を維持・拡大しようとする生命の運動であり、「真理」とはそのために作り出される虚構だとして、プラトン以降の哲学の理性中心主義を告発する**ニーチェ**（一八四四～一九〇〇）の反哲学的な〝哲学〟の影響が次第に浸透していく。ニーチェに言わせれば、自己の行動を意志や理性によって制御する「主体」など最初から存在しない。固定的な内容をもった実体として、持続的に実在しているわけではない。それは生命力が弱いもの、自己を取り巻く環境の厳しさに耐えられないものが、自分を美化するために生み出した幻影にすぎない。意識化されていない様々な力のせめぎ合いの帰結として何となくやってしまったことを、「あの時私は、○○と考え、それを実現するには△△が有効だと判断し……」などと（一時的に）後付けしているにすぎない。

理性的思考の限界——反主体的な思想の系譜

ロマン派やニーチェの批判は、文学・芸術・神話にベースを置いているので、哲学的な「理性」に対する攻撃としては迂遠《うえん》であり、デカルト、カント、ヘーゲルの打ち立てた体系に基づいて細かい議論を積み上げていこうとする専門的な哲学者には強いインパクトを与えにくかった。しかし一九世紀末から二〇世紀前半にかけて「自我」「理性」「意識」の成り立ちそのものを心理学的に分析し、「無意識」こそが〝我々〟の主人であるとする科学的言説が登場した。**フロイト**（一八五六～一九三九）に始まる精神分析である。

精神分析は、具体的な症例の観察に基づいて、無意識の存在を証明した。無意識の領域に抑圧された意識内容や欲動が、「主体」自身の関知しないところで、身体を動かし、様々な症状を生み出し、思ってもいなかったことを口にさせる。従来は、単に狂気や非理性という言葉で一括りに表現され、理性的な探究の埒外《らちがい》に排除されていたものを分析し、意味づけする方法が、フロイト派の精神分析やその影響を受けた精神医学・深層心理学によって開拓されていった。

第一次大戦後、一九二〇年代になると、**ヤスパース**（一八八三〜一九六九）や**ハイデガー**（一八八九〜一九七六）などの、誰でも当てはまる普遍的な真理ではなく、実存（＝個人に固有のあり方）に焦点を当てる実存主義的な哲学が影響力を持つようになった。そうなると、〝普遍的な主体〟は別の種類の動揺を被ることになる。個人が自己の生き方を決定するに際しては、合理的には把握し切れない、その場の状況に依存する特殊・偶然的な要素や意識化されていない欲望などが入り込む。例えば、自分は平凡なサラリーマンとして生きるべきか、あるいはアーティストとして困難な道を歩んでいくべきか、といった選択。あるいは、親兄弟と同じように〇〇教の信徒となるべきか、無宗教者として生きることにするのか、といった選択に際しては、この基準に従えば間違いない、と言える普遍的・絶対的基準などない。後になって、どうしてそういう選択をしたのかと聞かれたら、それなりにいろんな理由が思い浮かんでくるが、そのいずれも絶対的な判断基準とは言えないものだし、他の人、他の状況には当てはまらないものがほとんどである。

精神医学者でもあるヤスパースは、精神病理に見られる無意識の過程が自我の判断に及ぼす影響の考察から出発し、自分の意識的努力ではどうにもすることができず、自己の無力さ、理性的思考の限界が露呈する「限界状況」における人間の自己意識の変化を哲学のテーマとして浮上させた。フッサール（一八五九～一九三八）の現象学の影響を受けて、いかなる既存の概念装置もない状態があったと仮定して、そこで意識は対象、対象および自己自身に対してどう関わるのか、という問題に取り組んでいたハイデガーは、やがて、常に自我の主体性を前提に考える意識哲学の枠組み自体に疑問を持ち、それを解体する方向に進んでいった。彼は私たちが、気づいたらすでにその中に自己が存在していることを発見する「世界」に焦点を当て、「世界」の中で現存在（≒主体）の振る舞いが、どのように方向づけられているか、その方向性（運命）とどう折り合いをつけていくべきかを、哲学の課題としたのである。

フランクフルト学派が主張する「理性的主体」の袋小路

こうした反主体的な思考の系譜を政治に結びつけたのが、ネオ・マルクス主義、特に一九二〇年代にフランクフルト大学の社会研究所を中心に活動を始め、戦後、（西）ドイツとアメリカの反体制的な学生・市民運動に強い影響を発揮するようになった**フランクフルト学派**である。マルクス主義は唯物論をベースとし、「（社会的）存在が意識を規定する」と主張するため、もともと反「主体」的な傾向を持っていたと言えるが、革命の担い手になるべきプロレタリアートや活動家に、歴史の正しい発展の方向を見据えて行動することのできる判断能力があることを前提にしていた。

それに対し、精神分析と深く結びつきながら独自のマルクス主義理論を展開したフランクフルト学派は、主体の「理性」自体の中核に、非合理的な無意識が働いていることを指摘した。**ホルクハイマー**（一八九五～一九七三）と**アドルノ**（一九〇三～六九）の共著『啓蒙の弁証法』（一九四七）では、文明を生み出し発展させてきた「理性」とは、自らの母体である「自然 Natur」を抑圧し、支配しようとする野蛮な衝動が変形・肥大化したものであるという見方を示した。

「自然」から分離した「理性」は、自然に存在する諸対象の多様性を抑圧し、画一的な価値に還元し、計算可能にしたうえで、その価値の量を増大させることに全力を挙げるようになった。そうやって「理性」は、貨幣に結晶化された等価交換の原理によって支配される資本主義的文明を築き上げてきたが、その代償として、労働と消費の主体である人間の心身を徹底的に管理し、各人の生活全体を経済の法則に従属させてきた。しかし、**人間身体が「自然」の一部であり、人間の「欲望」には、「自然」＝「無意識」に由来する様々な不規則性・多様性がある以上、画一的なシステムに縛り続けることには無理がある。人間の最も深い「本性 Natur」は、文明化され得ない。**そのため、文明のさらなる普遍化に抵抗する学生運動や女性解放運動、反（文化的）植民地運動、エコロジー運動、ヌーディスト運動のような運動が起こってくる。

その社会の抑圧のメカニズムが強すぎると、一気に「理性」の支配が崩壊し、動物的な群れを形成して、力によって結びつこうとする原初的な衝動が暴走することになる。それが政治体制として具現したのが、ナチズムである。自由と平等を尊重する西欧的市民社会やマルクス主義は、ナチズムなどの全体主義につながる恐れのある非理性の危険な働きを、「理性」によって封じ込めようとするが、それは人間の「本性＝自然」を余計に抑圧することになる。かといって、資本主義的な文明の歩みを逆行させることは、科学技術によって管理される私たちの生活の仕方を根本的に変え、不安定化させることを意味するし、自然支配を通して自己の支配力をどこまでも拡張していこうとする「理性」の本質に反する。フランクフルト学派の見方では、「理性的主体」はこうした袋小路に入り込んでいるのだ。

これは英米で台頭しつつあった、純論理志向の分析哲学とは全く相容れない発想である。

構造主義者たちの問題提起——レヴィ＝ストロース、ラカン、フーコー

一九五〇年代になると、フランスを中心に「**構造主義**」と呼ばれる、ジャンル横断的な反主体的な知の系譜が注目されるようになる。旗振り役になったのは、文化人類学者の**レヴィ＝ストロース**（一九〇八～二〇〇九）と精神分析家の**ラカン**（一九〇一～八一）である。「構造主義」は、「主体」が自律して存在し、自由に判断・行動しているわけではなく、各種の「構造」、言語を始めとする各種の記号体系のユニットによって、本人の知らないところ、つまり無意識で規定されているという前提に立って、その構造を明らかにすることを試みた。

西欧の近代人から未開人扱いされている人たちはデタラメに判断しているわけではなく、彼らなりの精密な事物の分類体系と、それに基づく行動基準がある。レヴィ＝ストロースは、文字体系を持たない部族社会の言語・記号体系、親族・婚姻関係、食物、神話的儀礼、住居の配置などを研究し、それぞれの体系が数理的に定式化しうる構造を持ち、相互に対応していることを明らかにした。ラカンはそうした構造が、デタラメで何でもありに見える無意識の領域にもあることを明らかにした。

こうした文化人類学や精神分析の知見は、翻《ひるがえ》って、西欧的な社会の制度や慣習、西欧的な〝理性の主体〟に対しても適用可能であると考えられる。**〝主体〟は自分が理性的だと思っている規則に自発的に従っているのではなく、目に見えない「構造」によってその選択肢があらかじめ限定されている可能性がある。**その自覚がないとすれば、それは「構造」の影響が〝主体〟の内に深く浸透し、〝主体〟と〝構造〟が一体化しているからではないか、と疑ってみるべきではないのか。

『狂気の歴史』（一九六一）、『臨床医学の誕生』（一九六三）、『監獄の誕生』（一九七五）などの著作で、近代的な主体が、私たちの日常生活を規制し、「非理性的なもの」「異常なもの」「統治できないもの」は排除・抑圧する各種の知の言説や権力装置と不可分に結びついていることを明らかにしたのが、**フーコー**（一九二六～八四）である。本人は自らが構造主義者であることを積極的に認めていなかったが、彼の仕事の多くは西欧の近代史に対する構造主義の応用と見ることができる。

彼は、主著『言葉と物』（一九六六）などで、西欧近代の各時代、各領域の「知」において、「主体」を規定していた「歴史的アプリオリ」（＝知の地平）を明るみに出すことを試みた。フーコーの関心や方法は時期によってかなり変動しているが、本人の意図に反して彼の議論の示唆するところを、構造主義よりにやや強引にまとめてみよう。「主体」は真空の中で語り、判断し、行動しているのではなく、「人間」を管理するために歴史的に形成された構造の中で生み出され、構造を具現する生き方をしているのである。フーコーにとって問題なのは、普遍的理性の働きを抽出することではなく、むしろ、そうした観念が生まれ、効力を発揮するようになった歴史的経緯である。

私たちは性や愛、道徳感情、身体感覚のようなものは、生得的なものであると考えがちだが、フーコーはそれらも長い歴史的な経緯、人々の実践の中で、時代・地域ごとに構造化されるものだと考える。後期のフーコーは、それらを明らかにする「系譜学」を提唱する。ニーチェは『道徳の系譜学』（一八八七）で、心理学者が生得的で普遍性を持っていると考えがちな、善・悪、良心、責任、罪などの観念の起源と、その歴史的生成を論じたが、フーコーは、それを「性」を中心とする人間の生全般に拡大することを試みた。これは、普遍的な「正」に基づいて、社会を再構造化しようとするロールズの正義論とは相容れない発想である。

デリダによる哲学・構造主義批判

構造主義ブームの少し後、六〇年代後半から八〇年代にかけて、「**ポスト構造主義**」と呼ばれる潮流が注目されるようになった。この潮流に属する論者たちは、**レヴィ＝ストロースやラカンの「構造」を実体視する傾向を問題視し、〝構造〟の流動性を強調した。**〝構造〟はそれを見る者の立ち位置やスタンスによって、異なった様相を呈する。七〇年代後半以降のフーコーの系譜学も、そうしたポスト構造主義的傾向を示していると見ることができるが、構造主義／ポスト構造主義の対決を鮮明にしたのは、**デリダ**（一九三〇〜二〇〇四）によるレヴィ＝ストロース批判であろう。

初期の代表的著作『グラマトロジーについて』（一九六七）でデリダは、未開の人たちの生活の中に、論理的に抽出可能な「構造（1）」を見いだす自らのまなざしを信頼するレヴィ＝ストロースのスタンスを疑問視する。そのまなざし自体が、別の〝構造（2）〟によって規定されている可能性を考える必要がある。〝構造（2）〟はさらに〝構造（3）〟によって……と、この連鎖は無限に連鎖していく可能性がある。しかも一方向に連なっていくのではなく、〝構造（1）〟が〝構造（2A）〟〝構造（2B）〟〝構造（3B）〟……の複合効果によって規定されているというような形で、多方向に連なっているかもしれない。

デリダは、こうした多重の〝構造〟の連鎖を無視し、その連鎖の帰結として生じてきた〝自己意識〟と〝対象〟の関係にだけ焦点を当て、それを全ての認識の起点としてきた西欧の哲学的思考の伝統を、「音声中心主義 phonocentrisme」と呼ぶ。〝自分〟に対して現前する対象を認識し、その内容を把握したと確信する自分自身の内なる声を絶対的基準とするからである。「私の目の前に○○がある。このことを私は意識している。私がそれを意識していることは絶対確実である」というように、内面的な真理を語る声を基準にするということである。プラトンからデカルトを経てフッサールに至るまでの西欧の偉大な哲学者たちは、こうした内面の「声」を理性の声と見なし、疑う余地のない知の起点としてきた。理性の「声」に従って、私たちは、私たちにとって疑う余地のない現実の地平を見いだす。デリダに言わせれば、フーコーもこうした「音声中心主義」に囚われている。

デリダは、そうした「声」は、自然発生的に生じてくるわけではなく、**「エクリチュール écriture」によって意味を付与され、「エクリチュール」と結びつくことで生き生きとしたものであるかのような外観を獲得していることを呈示する。**「エクリチュール」とは、「書かれたもの」あるいは「書く行為」、さらには「書き方」を意味するフランス語だが、デリダはこれを〝主体〟と〝対象〟を規定し、変容させる様々な記号の連鎖という意味合いで使っている。デカルトやレヴィ＝ストロースは、生の現実を自分の目でしっかり見て、そのことを内面の声に従って確認したと確信したが、実は、読書とか学校教育、周囲の人の会話、社会的言説など、諸記号によって定型化されたフォーマットをなぞっているだけかもしれない。印刷された文字とは縁のない社会に生きている人も、当該社会を維持している各種の記号の体系に従っている可能性がある。

だったら、その「エクリチュール」の原型にして原点に当たるもの、「原エクリチュール archi-écriture」を発見すればいいではないか、ということになりそうだが、その「原エクリチュール」発見の営みは様々なエクリチュールによって媒介されているので、どのように工夫しても、〝自らの声〟にだけ従う〝純粋な意識〟が「原エクリチュール」に移行する瞬間を捉えることはできない。これは、自分自身が物心がつくようになった最初の瞬間を捉えようとする試みを例に考えると分かりやすい。どんなに頑張っても、「エクリチュール」によって汚染された、嘘くさいイメージしか浮かんでこない。しかも、ある特定の〝主体〟に対する「エクリチュール」の作用は、常に一定の方向性を示しているわけではなく、諸〝主体〟の書き込みによってどんどん変容していくので、「エクリチュール」の普遍的本質や機能を列挙することもできない。

デリダによる哲学・構造主義批判に続いて、**ドゥルーズ**（一九二五〜九五）と**ガタリ**（一九三〇〜九二）は『アンチ・オイディプス』（一九七二）で、精神分析の依拠する「エディプス・

コンプレックス」が、近代的な知のエクリチュールによって生み出された虚構であり、人間の無意識の欲望は、近代哲学や精神分析、心理学や社会学などが想定しているより遥かに多様であり、一夫一婦制の家族の中でのアイデンティティ形成が、人間の最も基本的かつ普遍的な本性に基づく、唯一の在り方ではないことを明らかにした。『千のプラトー』（一九八〇）では、そうした多様な欲望がどのように展開していく可能性があるのか探究され、それを分析するのに適した新しい語彙が生み出されている。「ツリー／リゾーム」「ノマド」「戦争機械」「リトルネロ」……といった、八〇年代半ば以降、日本の現代思想でもお馴染みになった用語である。

理性偏重の哲学と反「主体」哲学の架橋――コミュニケーション的主体

精神分析、文化人類学、神話学、文芸・美術批評などと融合した反「理性―主体」の系譜に対して、分析哲学は、記号論理学や科学哲学とのつながりを強め、非理性的な要素をますます度外視するようになった。ハイデガーの「存在」論を無意味な言葉遊びとして退けようとした**カルナップ**（一八九一～一九七〇）や、反証可能性がない漠然とした命題は科学的に価値がないとした**ポパー**（一九〇二～九四）が戦後の分析哲学をリードしたこともあって、両潮流の溝は深まっていった。ニーチェやハイデガーなどの〝非理性主義〟がナチスをイデオロギー的に支えたという認識がかなり誇張して広まったため、分析哲学系の人たちの一部には、「理性的主体」を批判する思想を危険視する向きもあった。逆にニーチェ主義、ハイデガー主義、フランクフルト学派、構造／ポスト構造主義の側からすれば、そうした〝理性〟偏重の考え方こそが、全体主義の基盤となった、社会を画一化し、一元的に管理しようとする思考を助長してきたのだと主張した――「主体」批判の陣営が一枚岩だというわけではなく、彼らは相互に激しく批判し合ってきた。

こうした両陣営の間を架け橋して、自己完結的・モノローグ的ではない、つまり独善的に暴走しにくい「主体」観を示そうとする試みがないわけではない。その代表的なものは、**ハーバマス**（一九二九～）のコミュニケーション的行為の理論、およびその政治哲学的応用としての公共性論、討議倫理学、熟議民主主義論である。

フランクフルト学派の第二世代の代表と見なされるハーバマスは、それぞれの経済的利益を追求する市民たちの間で、公共的な問題に関する意見交換のフォーラム（市民的公共圏）が形成されたことの意義を政治・経済史的に論じることから出発した。当初は、ヘーゲル、マルクスの歴史哲学から、主体相互のコミュニケーションを契機としての理性と知の諸形態の発展、法・道徳規範の形成などに関わる問題系を読みとることや、フランクフルト学派第一世代の問題意識を継承した現代資本主義批判に取り組んでいたが、ジョージ・ハーバート・ミード（一八六三～一九三一）のプラグマティズム的な社会心理学や、パーソンズ（一九〇二～七九）の社会システム論、分析哲学の言語行為論の成果を取り入れ、独自の（非ドイツ的な）理論的枠組みを構築していった。

ハーバマスが、コミュニケーション的行為を軸とする新しい社会理論の枠組みを体系的に示したのは、『コミュニケーション的行為の理論』（一九八一）によってである。この著作によってハーバマスは、理性を画一的で自己完結的なものだとして否定的に評価する、フランクフルト学派の第一世代を含むネオ・マルクス主義の社会理論とも、そうした理性の一面性をシステムへの適合性として〝中立的〟に記述するルーマン（一九二七～九八）のシステム理論とも一線を画した。**彼は人間の行為が言語を中心にしたものだという前提に立ちながら、物理的対象ではなく、他の人間に関わる社会的行為を、何かの目的のために他者を利用しようとする戦略的行為と、合意形成を志向するコミュニケーション的行為に分け、後者に焦点を当てて議論を進めていく。**

私たちの日常生活では、営業で契約を取るために相手の機嫌を取るとか、学校・大学の授業や演説・講演で人気取りをして自分のキャリアアップを目指すといった自分の私的目的の実現のために、話題にしている内容の真偽や正否と関係なく、相手を味方にしようとすることがある。ハーバマスはそれとは別に、数学や論理学、哲学などの学問的議論で難問をめぐって正しい答えを求めて議論する場合のように、個人としての利害とは関係なく、お互いの考えを正確に把握したうえで、より洗練された共通認識に到達すべく努力することもあると考える。

無論、個別・具体的なケースをこの二つのいずれかに純粋に属するものとして区分できるわけではなく、ほとんどの場合二つの動機は混じり合っているが、少なくとも、全ての社会的行為を戦略的なものに還元することはできず、私たちの内に実際に、相互の理性的合意を求める動機が働いているのは確かだろう。そうでないと、私たちがたとえ現実的な利害が絡んでいなくても、自分の言い分を他人に理解してもらおうと努力し、相手の意図を理解しようと努力することの説明がつかない。

ハーバマスはコミュニケーション的行為を、「真理」を目指す理論的討議における「事実確認的発話行為 konstative Sprechhandlungen」、法および道徳的観念の正当性をめぐって展開される実践的討議における「規範に規制された行為 normen-reguliertes Handeln」、そして芸術的作品の評価をめぐってお互いの美的判断力に働きかける「演劇的行為 dramaturgisches Handeln」の三つに分類し、それぞれの行為ごとに異なった討議（Diskurs）の様式、ルールが発展していることを指摘する。こうした主体と主体を結ぶコミュニケーション的行為が、社会的存在としての人間の生き方において大きなウェイトを占めていると示すことでハーバマスは、個々の主体に内在する理性や意志を絶対視する、近代哲学の基本構図から距離を取るとともに、主体を物質的なものに還元する唯物論や、無意識を含んだ主体の不確定性を強調する構造主義／ポスト構造主義とも一線を画している。**「主体」たちは、自分たちが普遍的で理性的な合意に到達できるという前提で、ルールに従って互いに働きかけるが、その合意の内容はあらかじめ確定されているわけではなく、常に変化に対して開かれているのである。**

コミュニケーション的行為の理論を構築するに当たってハーバマスは、ミードの社会的自我論と、言語行為論やそれと密接な関係にある言語学の「語用論 pragmatics」の成果を援用している。語用論は、文やフレーズが文脈に応じてどういう異なった機能を担うかを研究する。ミードは、私たちの自我は各人の内で自己完結的に発展するわけではなく、自分と同じ社会の一員であり、行動を共にする他者たちの視点を取り込む形で形成されると主張する。「私I」が自らの「自我Me」のあり方について反省し、働きかける時、その「自我」は「私」だけの想像の産物ではない。「○○の時にはXは▽▽するだろう」という他者たちの期待を反映して形成されたものであるので、「私」の思いだけでどうにでもなるわけではない――ミードの社会的「自我」論は、精神分析における「他者」＝「超自我」論を、意識化された領域にシフトさせたものと見ることができる。その延長で考えれば、どんなエゴイスティックな人間でも、社会的行為において、他者との合意を全く無視することはできない、ということになろう。

「言語行為論」は言語を、論理的に有意味な命題を表現するための媒体としてのみ見るのではなく、他者に言葉をかけることで、社会的に意味のある行為を成し遂げる営みとして見る、言い換えれば、言語のパフォーマティヴな効果に注目する分析哲学の一潮流である。例えば、「火事だ！」と叫ぶことは、客観的な事実を言明している（＝発語行為 locutionary act）だけではなく、それを聞く人に逃げるように促す行為である（＝発語媒介行為 perlocutionary act）。商店での「それをもらいましょう」という言明や裁判所での判決言い渡しなどは、既成の事実を確認しているのではなく、その言明自体によって新たに社会的事実を作り出す（＝発語内行為 illocutionary act）。特に注目すべきは、「発語内行為」であり、この行為は、それを発した主体と受けとめた主体に働きかけ、契約、誓い、婚姻、裁判、政治的決定などの社会的事実を成立させる「力 force」を持つ。

こうした問題設定は、英国の哲学者で、ウィトゲンシュタイン(一八八九〜一九五一)の影響を受けて、日常言語の分析を重視する日常言語学派に属する**ジョン・L・オースティン**(一九一一〜六〇)によって定式化され、アメリカの哲学者で、心の哲学の論客としても知られる**ジョン・サール**(一九三二〜)によってより詳細な規定を与えられた(オースティンとサールの立場は肝心なところで異なることはしばしば指摘されているが、ここでは触れない)。こうした行為論的アプローチは、言語学者でもある英国の哲学者ポール・グライス(一九一三〜八八)などの仕事によって、語用論の理論的発展につながった。

「生活世界」という共通経験の地平

ハーバマスは、言語行為論—語用論の成果を、コミュニケーション的行為を性格づけるために利用する。彼はさらに、サールが言語行為に「力」を与えているものとして、人々の日常的な行動の背景にある世界像の問題に注目し、それを後期フッサールの「生活世界 Lebenswelt」論に接続し、独自のコミュニケーション観へと仕上げていく。私たちの各々は、世界を客観化された概念によって把握する〝以前〟に、日常的に経験する自然や社会の秩序に即して自分たちの行動を方向づけており、かつ自分と同じような存在者も同じような経験をしているであろうと何となく予測している。「生活世界」とは概念化される〝以前〟に、私たちが共通に経験している世界である。

私たちは、相手に言語を介して働きかける際、自分の経験や思いだけで恣意的に言葉を発しているのではなく、「生活世界」の秩序に合致し、適切と思われる仕方で語ろうとする。相手も、その場その場の気分で応答するのではなく、「生活世界」の共通経験に適合するように応答しようとする。こうした見方は、ミードの〈Me〉論ともうまく接合できるし、私たちの日常のやり取りにおける無自覚的な作法を念頭におけばかなり納得がいく。コミュニケーション的に行為する能力が、天から降ってわいたように突然獲得されたものでも、個々の主体にもともと備わっているわけでもなく、「生活世界」に根ざした相互行為から徐々に進化し、制度的に洗練されてきたものだと考えれば、純粋な理性的合意を志向するコミュニケーション的行為の存在が観念論的な虚構だとする嫌疑を斥《しりぞ》けることができる。

ハーバマスは、私たちの共通経験の地平としての「生活世界」を、言語行為論や社会的自我論と通底するものとして導入することによって、分析哲学が無視しがちの、主体の無自覚的な行為や主体の相互作用の影響を議論の俎上に載せ、ヘーゲル、シェリング、マルクス、フロイトなどのドイツ系の社会哲学の成果を、プラグマティズム＝分析哲学的な文脈で生かすことができるようにしたわけである。ただし、「主体」に対する無意識の領域の優位を強く示唆する「ニーチェ＝ハイデガー主義」やポストモダン系の思想とははっきり一線を画する。『近代の哲学的ディスクルス』（一九八五）では、フーコーやデリダの議論に潜む形而上学的前提やレトリックの多用を批判し、従来の〝理性〟観に基づく〝理性〟批判を続けるのは不毛であり、「コミュニケーション的理性」観に基づいて、新たな社会・規範理論を打ち立てるべきであると主張する。

八〇年代以降のハーバマスは、「生活世界」に根ざした当事者たちのコミュニケーションを通して絶えず変容・進化していく、開かれた理性としての「コミュニケーション的理性」を前提にした倫理学・政治哲学を、『道徳意識とコミュニケーション行為』（一九八三）『討議倫理』（一九九一）『事実性と妥当性』などの著作で展開する。**彼は特定の価値や規範を出発点にするのではなく、討議において合意形成しようとする人たちが従わざるを得ない、あるいは、現に従っている最も基本的なルールに着目し、それが現に担っている機能や今後の発展の方向性を分析することで、普遍化可能な要素を見いだし、倫理学・政治哲学を再構築するこ**

とを試みる。人々の日常的で、必ずしも自覚していないコミュニケーション的実践から普遍化可能な正義の原理に向かっていく道筋を探る彼の「コミュニケーション的理性」の理論が、結果的に、多文化社会の中での「重なり合う合意」を支える「公共的理性」をめぐるロールズの考察と通じ合うことになったのである。

ローティの戦略とクワインの全体論

分析哲学と反主体性の思想を架橋するもう一つの経路を築いたのが、自らも基本的には分析哲学の系譜に属しながら、ハイデガーや構造主義／ポスト構造主義などの反主体性の議論も積極的に取り入れた**リチャード・ローティ**（一九三一～二〇〇七）である。第二次大戦後のアメリカにおける分析哲学の発展にはいくつかの源泉があったが、ローティは、後期ウィトゲンシュタインの言語ゲーム論と、**クワイン**（一九〇八～二〇〇〇）の全体論に着目し、それらをプラグマティズム的な「真理観」と再接続することで、自然科学的な「人間」観を絶対視する、分析哲学の主流派に対抗するという戦略を取った。

ウィトゲンシュタインが『哲学探究』（一九五三）で示した言語ゲーム論とは、言葉の意味は、その当事者たちが使用している、法律、政治、ビジネス、学会、医療現場、工場、地域共同体、部族集団、家族、恋人同士などの言語ゲームの規則に依拠する、というものである。分野ごとの言葉遣いの違いというだけのことなら、わざわざ哲学者に指摘されるまでもないことだが、後期ウィトゲンシュタインの議論がラディカルなのは、数学や自然科学の基礎概念・事実のようなもの、例えば、整数、有理数、実数、虚数……や、物理学や化学の実験を通じて確認されるような事実もまたゲームの規則に従って構築されており、ゲームの規則を超えたところに、物それ自体が実在するわけではない。この観点から考えれば、**〝真理〟とはある言語ゲームの規則に基づく、プレイヤー同士のやりとりの帰結にすぎないことになろう**——先に見た、ハーバマスのコミュニケーション的行為の理論に通じる見方である。

クワインの「全体論」というのは、人々がある対象に対して抱く信念や科学的命題は、それぞれが独立に成立しているのではなく、互いの正当性を証明し合う、相互依存的な体系を成しているという考え方である。例えば、運動する物体の加速や空気抵抗に関する物理学の法則を証明するために物理学者は実験を行うわけだが、当然その際に、実験装置が物体の質量や移動した距離とそれに要した時間を正しく測定できること、実験に想定されているのとは異なる要因をほぼ完全に排除していることが前提になる。では、その前提は何によって保障されるかというと、実験装置の物性に関するいくつもの物理法則がそれに相当するだろう。では、それらの法則をどうやって証明するかというと、それらの各々に該当する実験を組み立てて試してみるしかない。では、その実験装置の実験装置は……と考えていくと、諸法則が相互に支え合っている関係が見えてくる。

物理学、化学、生物学、鉱物学、地質学、天文学などの自然科学の諸分野は、その分野を構成する命題相互の間の、あるいは他の分野の命題との間で相互依存関係にある。数学や論理学の命題でさえ、そうした相互依存の関係を免れることはできない。社会科学や人文科学における相互依存関係については言うまでもなかろう。哲学や社会学、心理学、文学研究などの基礎概念や命題はどれだけ厳密に定義しようとしても、いや厳密に定義しようとすればするほど、同じ分野、あるいは他の分野の既成概念や命題を援用することにならざるを得なくなる。「人間」という概念を哲学的に厳密に規定しようとすれば、不可避的に「人間」の定義をめぐる哲学史上の議論を振り返って、自らの見解をサポートする議論を見いだしたり、心理学や生物学の知見を参照したりすることになる。

こうした考え方は、自然科学的な観察によって厳密に検証可能な個別の「命題」を同定することが可能であるとする、クワインの師でもあるカルナップなどの議論と真っ向から対立する。カルナップなどは、科学的に意味のある命題は、そうやって真だと判明した原子命題（atomic sentence）と、それらに論理学的な操作を加えることによって導き出される複合的な命題だけだと主張し、そうした諸学の厳密化をサポートすることこそが、哲学の果たすべき使命だという立場を取った。クワインは、諸学の体系をそうした単純な命題に還元することは不可能だということを、原子命題に相当するはずのものが、どのように言語的に構成されているかを示すことによって明らかにしたのである。各国語の国語辞典を見れば分かるように、ある言語体系に属する全ての単語を、その言語体系自体に属している単語だけを使って定義しようとすれば、どうしても、AをBとCとD……によって定義し、そこに出てくるBをPとQとR……で定義し、PをXとYとZで定義し、XをAと……で定義する、というような循環が生じる。「意味」とか「言語」「行為」のような最も基本的と思われる単語や、助詞や接続詞のような基本的文法用語までも、その言語の別の単語で定義しなければならないからである。

こうした意味での「全体論」は、フランスの物理学者デュエム（一八六一〜一九一六）によって物理学の基礎に関して提起され、クワインの論文「経験主義の二つのドグマ」（一九五一）で、科学的知の全領域を巻き込む問題として再提起された。「全体論」的な見方を取れば、当然、個々の命題の真理性は相対化され、究極的な形で理論的に基礎づけることは不可能になる。ただ、クワインは論文「自然化された認識論」（一九六九）などで、同じ感覚的刺激を受けた人々が示す反応、（文の形で表現される）観察された事実に対する間主観的合意の有無によって、その真偽を判定し、自然に関する科学的命題を基礎づけることができるのではないか、という立場を表明している。弱い意味での「自然主義」――自然主義については次章で論じる――を標榜するクワインの「全体論」は、「真理」を全面的に文脈依存的なものにするわけではない。

リベラリズムの解釈学

しかし「全体論」を、（人間の知全般ではなく）領域ごとの〝全体論〟と理解したうえで、ウィトゲンシュタインの言語ゲーム論と接続すると、あらゆる信念や命題の意味（真／偽）は、それが属する文脈ごとのゲームの規則に従って規定され、その文脈の外では意味がないということになる。それは、文字通りの意味での〝普遍的理性〟を認めず、主体の認識の文脈依存性と真理の相対性を示唆する、構造主義／ポスト構造主義に通じる見方である。

ローティを一躍有名にした『哲学と自然の鏡』（一九七九）の基調になるのは、そうした

「言語ゲーム」＋「文脈主義」的な見方である。この著作で彼は、認識論をベースにした近代哲学が、人間の「心 mind」を、「自然」を忠実に映し出す「鏡」に見立てたうえで、この「鏡」に直接的かつ正確に映し出される対象の「表象」を全ての認識の「基礎」にしようとする「基礎づけ主義 foundationalism」に囚われていると指摘する。分析哲学は「心」そのものではなく、「心」の状態を記述する「命題」、つまり言語の分析に焦点を移したが、その「命題」が、「心」を正確に記述しているかを論じるのであれば、同じことである。「基礎づけ主義」の無効性を示すために、ローティはクワイン、ウィトゲンシュタイン、そして認識の真理性の基礎になる絶対確実な「**感覚与件** sense-data」の存在を仮定する「**所与の神話** myth of the given」を批判したセラーズ（一九一二〜八九）などの議論を援用する——「感覚与件」と「所与の神話」については、次章でもう一度取り上げるのでここでの解説は割愛する。

絶対的な根拠（foundation）などないものに対して無理に根拠づけようと頑張る不毛な「基礎づけ主義」に代わって、ローティは、基礎づけ可能かどうかではなくて、実際に使えるかどうか、現象の説明に役立つかどうかで命題の真偽を判断し、語の意味や用法の適切性を評価する、クワインやセラーズに見られるプラグマティズム的な態度を推奨する。クワインやセラーズは「プラグマティズム」を明確に再定義したわけではなかったが、ローティは様々な異なったタイプの学問や言説の間の「会話 conversation」を成り立たせる媒介の役割を果たせるかどうかを重視する。**基礎づけられた唯一の正しい答えを確定しようとする「認識論 epistemology」に対し、様々な言説が全体として一つの大きな織物を成しており、相互に支え合う関係にあることを示すことで、それぞれ自らのやり方で真理を探究している人たちを「会話」へと促すことを任務とする哲学を、ローティは「解釈学 hermeneutics」と呼ぶ。**

「解釈学」というのは、一九世紀のドイツの神学者シュライエルマッハーの聖書解釈の方法論に始まり、ディルタイ(一八三三～一九一一)の自然現象を客観的に「説明する erklären」自然科学とは異なり、他者の追体験という形で文化現象を「理解する verstehen」ことを試みる精神科学一般の方法論へと拡張され、ハイデガーの弟子であるガダマー(一九〇〇～二〇〇二)の『真理と方法』(一九六〇)によって歴史存在論的に意義づけされ再定式化された、ドイツ的なジャンルである。字面通り、古典的なテクストの解釈から、人間の文化的・社会的生を引き出すことに重点を置く。

常識的には、解釈学は分析哲学ともプラグマティズムとも異質である。だがローティは、全ての知を一つの共通の根拠にさかのぼって基礎づけ、そこから演繹《えんえき》し直すのではなく、様々な形と地位で流通している異なったタイプの言語・記号表現を、それらを生み出し、伝承する主体たちの地平（視座）から解釈して、その相関関係を見いだしていく「解釈学」の全体論的な性格を、「プラグマティズム」と親和性があると見る。「解釈学」では、様々な（芸術作品や日常会話などを含む広い意味での）テクストの間の相互の繋がりを見いだし、Bを参照することでAを理解し、Cを参照することでBを理解し、Dを参照することでCを……そしてAを参照することでXを理解するという循環的な作業を通して「解釈」を進めていく（**解釈学的循環**）。そうした全体論的な連関の中での「解釈」を通して、ジャンル横断的な「会話」が可能になる。**こうした見方をすれば、解釈学的・思想史的な性質の強い哲学だけでなく、ポストモダン系の言説も含め、分析哲学の主流派が〝基礎づけ不可能で非合理的〟として切り捨てたものの多くを、全体論的な枠組みの中で復権させることができる。**たとえ、科学的に基礎づけることができなくても、文化的に流通し、社会的な機能を担っている言説を無視することはできない。

　八〇年代以降のローティは、こうした解釈学的実践を政治哲学の領域で展開した。論文「哲学に対する民主主義の優先」（一九八八）では、ロールズの論文「公正としての正義——

形而上学的ではなく、政治的な」(一九八五)を、「正義」を哲学的に基礎づけることにこだわらず、むしろ民主主義の歴史、特にジェファソン以来のアメリカの民主主義の中で形成された政治的な構築物と見て、柔軟に扱うプラグマティズムな議論として評価する。一見普遍主義的に見える『正義論』も、そういう視点から読み直せると示唆することで、ロールズをサンデルの「負荷なき自己」批判から〝擁護〟する。さらに、『偶然性・アイロニー・連帯』(一九八九)では、「リベラルな社会」を、人類の普遍的理性が志向する理想であるかのように語りたがるハーバマスのような普遍主義的リベラルを批判し、現実に存在するリベラルな社会の拠って立つ諸規範は、様々な歴史的な経緯を経て形成されたものであり、多分に偶然的なものだと主張する。だからこそ、「正義」や「自由」「平等」などの概念を「基礎づける」のではなく、それが生成してきた系譜を辿るニーチェ＝フーコー的なアプローチが重要になる、というわけだ。

このように分析哲学＋正義論の普遍主義を批判し、ポスト構造主義に寛容な姿勢を示すローティだが、政治的実践に関してはフーコーやデリダの影響を受けた左翼の議論は評価しない。『我が国を達成する』(一九九八、二〇〇〇：邦訳タイトル『アメリカ　未完のプロジェクト』)では、無意識の次元で働く文化的抑圧の問題にこだわり過ぎ、具体的な改善策を示せないポストモダン系の文化左翼を批判し、着実に現実の問題を少しずつ改善してきたデューイ流のプラグマティズム的左翼の伝統に回帰すべきと訴えている。

互いに「承認し合う」とはどういうことか

ハーバマスやローティは、普遍主義と文脈主義という哲学的な基本スタンスの違いはあるものの、哲学が単一の「合理性」の基準を与えることができるかのような語り方は拒否し、様々な立場や言説の間の「対話」と、それを通しての「進歩」に期待をかけるという基本姿勢は共有している。ハーバマスの普遍主義は、あくまでコミュニケーション可能性の普遍性を前提にしながら普遍的理想を目指していくということであって、自らが普遍的理想を実体化しようとするものではないし、ローティの文脈主義も、全ての規範を相対化して進歩を否定するようなものではない。**両者とも、西欧の知的エリートの合理主義的な言説からこぼれ落ちる他者たちの言葉を聞き、「対話」することを重視する。**

ただし、「対話」が重要だといっても、呼びかけさえすれば「対話」が成り立つわけではない。ハーバマスは、コミュニケーション的理性の普遍性に訴えかけているが、現実には、後期ロールズやローティの議論に見られるように、ある程度の歴史的な実績がないと、制度として実体化できるような実質的合意を達成するのは不可能である。そもそも、過去の民主的な対話に参加していなかった人たち、排除されていた人たち、形式的には参加していても知的主流派から相手にされてこなかった人たちと、彼ら（他者）を知的に劣った者として見下しがちのエリートとの間で、本当の合意を目指した「対話」を行うのは困難である。

さらに言えば、〝対話〟するという以前に、エリートにしろ下層の人にしろ、（文化的あるいはジェンダー的）多数派にせよ少数派にせよ、人々は自分自身にとっての真の利益、幸福とは何かを合理的に考え、一貫して追求する知性と意志の力を十分に備えているのだろうか。自分が何を求めているのか定かでない同士だとしたら、〝対話〟しても無意味ではないか？

そこで注目されることになったのが、有意味に「対話」できる主体になるための条件としての、「承認 recognition」の問題である。この場合の「承認」というのは、当然、単に相手が自分と同じ人間という種に属する存在だと「認識 recognize」するだけのことではない。**相手も自分と同じように「人格」を持った存在であると認め、尊重すること、少なくとも他の対象（モノ）と同列に扱うことはできないという意識を伴った認識である。**

「私」が、各瞬間をその時の自然な欲求だけに従って生きる単なる動物ではなく、自律性を備えた「人格」的な存在であろうとすれば、同じ「人格」を持っている他者との関係が不可欠だ。約束に誠実な人間とか、勤勉に働く人間など、自分の理想像に合った「人格」になろうとすれば、約束の相手や仕事のパートナー、自分のやっていることを理解し、評価し、意見を述べてくる者など、同じ共同体に属する様々な他者との関わりが前提になる。そうした間人格的な関係が、相手と「私」の間にあると認識し、そのように振る舞うようになることが「(相互)承認」である。

他者からたとえ形の上だけだとしても、〝合理的に判断できる自律した主体〟として「承認されている」ということを自認(自己承認)できれば、その人は実際それらしく振る舞うことで、その期待に応えたいと思うだろう。あるいは、現在「承認」を受けている基準を超えて、より高次の承認を受けたいと努力するかもしれない。そうなると、相手の意向や理想を把握すべく、互いに本格的な「対話」へと動機づけられるようになるだろう。万人に合理性やコミュニケーション的理性が生得的に備わっていなかったとしても、「承認」を基盤として、お互いの振る舞いを規制する慣習や制度が構築されるとしよう。すると同じ共同体に属する各人があたかも「自律的に合理的な判断が常に可能」で、「常に根拠に基づいて対話する用意がある」主体であるかのように振る舞うよう習慣づけられ、次第にそれが〝人間本性〟として定着していくかもしれない。「承認」を起点にそういう社会的進化の道筋を思い描くことができる。

アイデンティティの承認という課題

カント（一七二四〜一八〇四）は、他者の「人格」を単なる手段としてではなく、「目的」それ自体として尊重すべきことを説いたが、「人格」の尊重がどのようなプロセスを経て可能になるか、あるいはそういう必然性が生じるのかは論じなかった。ハーバマスの「討議倫理」は、カントの人格尊重論を、コミュニケーションにおける人格尊重論に読み換えたものと理解できる。各人の「人格」が自律的に存在するには、歴史的に裏づけられた（相互）承認が基盤にならねばならないという議論を最初に提起したのは**ヘーゲル**（一七七〇〜一八三一）である。

その代表的著作『精神現象学』（一八〇七）の中でヘーゲルは、「主 Herr」と「僕 Knecht」の弁証法をめぐる有名な議論を呈示した。**人が社会の中で自由な主体であるためには、他者から支配されるのではなく、自分が支配するようにならねばならない。そこで万人は互いに対して闘争を起こし、自分こそが「主」であることを認め**（承認）**させようとする。**闘いに勝った者は、敗れた者を「僕」として労働させ、自らは、物質的な条件に囚われることなく、自由に振る舞うことができる「主」になる。

しかし、「主」は生活を「僕」に依存するようになるので、生活能力は次第に減退する。それに対して、「僕」は労働の中で創意工夫をするなどして、次第に能力を高めていく。いつの間にか、「主」は「僕」に認めてもらうことによって、辛うじて「主」であるという状態に置かれることになるだろう。そうなると、両者の力関係の逆転の可能性が生じてくる。そのため、歴史の中では絶えず、お互いに自分が自律した人間であることを相手に承認させようとする闘争が勃発し、社会の構造が変化していく。「主／僕」の立場は入れ替わるだろうし、新しく「主」となった側は、「僕」を反逆させないため、一定の自由を認めながら、効果的に労働させる制度を工夫するだろう。そうやって人々の意識と習慣をより洗練されたものにする制度が形成されていく。そうした「形成物＝教養 Bildung」を介して、歴史は発展していく。

二〇世紀後半のフランスでのヘーゲル理解に決定的な影響を与えた、ロシア出身の哲学者コジェーヴ（一九〇二～六八）は、「主／僕」に注目し、生死をかけた両者の闘争と力関係の逆転劇を通して、人類の文化は発展し続けると主張した。「労働」する「僕」の創意工夫によって様々な発明がなされ、芸術作品が生産される。かつ、「僕」の力の増大に対応して、彼らの権利を認め、反乱させないように宥《なだ》める法秩序と慣習が形成されていく。最終的に、万人に自由と平等を保障する――言い換えれば、各人の市民としての人格を承認する――自由民主主義の勝利によって、〔「主／僕」の間の闘争という形で展開してきた〕「歴史」は「終焉する」、という。ベルリンの壁の崩壊の少し前に、自由主義社会の勝利を予言したとして有名になった、アメリカの外交専門家フランシス・フクヤマの論文「歴史の終焉」（一九八九）は、コジェーヴのヘーゲル解釈を、当時の国際情勢を概観するために応用したものである。

こうした歴史の発展の原動力としての「主／僕」関係をめぐるヘーゲル＝コジェーヴの議論を、力関係よりも「承認」に重点を移す形で再解釈・応用することを試みたのが、コミュニタリアンで多文化主義を提唱する政治哲学者であり、ヘーゲル研究者としても知られる**チャールズ・テイラー**（一九三一～）と、フランクフルト学派の第三世代の代表格の**アクセル・ホーネット**（一九四九～）である。

一九九二年に刊行された論文集に掲載された論文「承認をめぐる政治」でテイラーは、文化的・ジェンダー的なアイデンティティの「承認」が現代政治の重要な課題になっていると指摘した。この場合の「アイデンティティ」というのは、他者と際だって異なるその人物の特徴ということである。

従来の（弱者のための闘いの）「政治」では、自由とともに平等の達成が主要な課題であった。「平等」というのは、主として経済的富や法的・社会的地位に関する平等であり、それはロールズの『正義論』のメインテーマであった。アメリカの公民権運動は、黒人など人種的・民族的少数派に対して白人と同じ権利を保障し、同じ地位に就き、同じ収入を得られる機会を提供することを目標にしたたし、フェミニズムは男女同権を目標にした。しかし一九八〇年代以降、旧ソ連・東欧の民族紛争や、家庭生活に縛られない女性や同性愛者の権利を求める運動、フランス語文化の復権を求めるカナダのケベック州の運動に見られるように、少数派の人たちが、自分たちは独自のアイデンティティを持つ存在であることを「承認」させようとする動向が目立ってきた。

そうした少数派は、多数派の生き方と同化することで平等になるのではなく、「彼ら」とは異なった自分たちの在り方に、彼らと同等の価値があることの「承認」を求めているのである。少数派が独自の文化を獲得・保持することは、経済的に非効率かもしれないし、少数派の内部で多数派との同化を求める者たちとの不和を増すことになるかもしれないし、少数派同士の対立が噴出するかもしれない。それも承知で彼らが自分たちのアイデンティティの承認を求めるのは、彼らの多くが、富や地位における平等だけを求めているのではないからだと考えられる。人間としての普遍的価値が求められているとしても、それは同じ市民としての平等ではなく、「個人として、また一つの文化として自らのアイデンティティを形成し、定義づける」「普遍的な人間としての潜在性 universal human potential」である。

文化における「平等な価値の承認 recognition of equal worth」を求める人々の存在から、**テイラーは、他者とは区別される自分固有のあり方、アイデンティティを認められることが、人が人格的な存在として生きる上で不可欠であることを強調する。**「主」と「僕」の間の闘争は、単にどちらがより強く、支配者にふさわしいかをめぐる争いではなく、より本質的には、自分の存在を承認させようとする争いなのである。

通常のヘーゲル解釈では、「承認」をめぐる闘争は、最終的に、普遍的な理性を持った「人間性」を作り出すと想定されている。コジェーヴによれば、それはアメリカ型の自由民主主義社会で、豊かな消費生活を享受する人間だ。テイラーはそうした普遍主義的なヘーゲル理解、ヘーゲル主義とは一線を画し、世界史は異なったアイデンティティを有する人たちが相互に承認し合う状態へと向かっていることを示唆する。ヘーゲル研究の著作である『ヘーゲル』（一九七五）や『ヘーゲルと近代』（一九七九）でテイラーは、（普遍主義者ではなかった）初期ヘーゲルの議論を参照しながら、人間にとっての「自由」や「主体性」は、その人が属している社会の在り方、言語、芸術、宗教、日常的な習慣によって条件づけられているとして、コミュニタリアン的なヘーゲル理解の方向性を示している。彼の「承認」論は、その延長線上にあると考えられる。

「承認」の三つのモード

一方のホーネットは、『承認をめぐる闘争』（一九九二）で、ヘーゲルの承認論を社会心理学的に掘り下げて、新たな理論的枠組みを構築することを試みている。彼はヘーゲルのイエーナ期（一八〇一～〇七）の道徳哲学的論考、特に『人倫の体系』（一八〇二～〇三）の中に、「人格」を構成する条件としての「承認」をめぐる、『精神現象学』におけるそれよりも深い、現代にも通じる考察があったことを指摘する。「人倫 Sittlichkeit」というのは、慣習の中から立ち上がってきて、次第に普遍化していく規範である。

ホーネットは、初期ヘーゲルにおける三つの承認様相を明示する。「愛 Liebe」「法

Recht」「連帯 Solidarität」の三つである。家族の者同士が感情の面でお互いを必要な存在と認め合うのが「愛」、契約などの形でお互いの権利を認め合うのが「法」、同じ共同体の一員としてお互いが不可欠な存在であること、互いの「名誉 Ehre」を認め合うのが「連帯」である。この三つの段階の相互承認を経ることで、人は自律した主体になっていくのである。他者との相互作用なしに、最初から自律した主体として存在し、自分の到達すべき目標を設定しているわけではない。

初期ヘーゲルは、人が三つのレベルでの相互承認を通して、自己形成＝社会化していく過程に注目し、そのようにして生まれた主体が、パートナーとの関係の不全で傷ついてしまう脆い存在であることを認知していたように見える。それは、現代の社会心理学的な諸課題に通じる問題意識だったが、『精神現象学』では、主体を支える「承認」の多様性をめぐる考察は後退し、まるで、孤立した自己意識が自分だけで自分の本質を発見し、開発しているかのような、モノローグ的で分かりやすい思考に収まってしまった、という。

ホーネットは、先に見たミードの「I－Me」論や精神分析の中でも、欲望の対象としての母の身体に対する乳幼児の関係を、その後の人格形成の基礎として重視するウィニコット（一八九六～一九七一）の対象関係論などを取り込みながら、初期ヘーゲルの承認論を、現代の社会心理学的な問題と関係づけることを試みた。三つの承認が達成されないことは、各人にとって「侮蔑 Mißachtung」あるいは「侮辱 Beleidigung」と受けとめられ、主体の心に深刻な心の傷を与え、健全なアイデンティティの形成を妨げる可能性がある。

周囲の人たちから愛情をもって接せられることで、人は自らの身体をうまく制御し、他者に対して適切な振る舞いをすることができるようになる。しかし虐待を受け続け、他者から気遣いされているという実感を得られないと、自他の距離感が分からなくなり、自分自身を信頼することができない。社会において権利の主体、相互行為のパートナーとして認められることなく、制度的に排除され続けると、責任能力を有する主体としての自覚を持って振る舞うことができなくなるのだ。自分に固有の生き方や信念の価値を否定され、社会的ステータスの低い状態に置かれ続けると、自己評価が低下し、自分が社会的に意義のあることをやっていると思えなくなり、社会参加しにくくなる。逆に言うと**（愛による）「自己信頼 Selbstvertrauen」（法による）「自己尊重 Selbstachtung」（連帯による）「自己評価 Selbstschätzung」を積み重ねることによって、人は自律的な主体となり、自分の目標や願望を明確にして、それと同一化することができるようになるのである。**

ヘーゲルは、個人的な利害関係の追求の行き過ぎで相互承認が困難になった市民たちを、国家が啓蒙することで再統合・道徳化するという形で、より高次の相互承認が達成されると考えた。一方ミードは、民主主義社会における機能的分業化によって各人の役割を位置づけ直すことが解決につながると考えた。彼らの解決策は、今から見れば複雑化・深刻化する現代的なアイデンティティの対立を解決するには不十分であり、今や国家や民主主義自体が信用できなくなっている。しかし彼らの議論から、**社会的な制度や慣習と結びついた「承認」の不全が、「自己信頼」「自己尊重」「自己評価」を損ない、経済的平等には還元できない、〝文化的対立〟を引き起こしている**ことが洞察できる。

ホーネットの承認論は、ハーバマスのコミュニケーション的行為の理論との関係で言うと、コミュニケーションする主体として振る舞うことができるための前提条件としての「人格の（相互）承認」を掘り下げて論じることで、コミュニケーション的行為の理論や正義論の射程を広げていると言える。承認論は、公共的理性を駆使する自律した主体を最初から前提とするリベラル系の正義論では扱いにくい問題、例えば、初期マルクスが提起した労働疎外をめぐる問題を考慮に入れることができる。センの「潜在能力アプローチ」が、制度的インフラの面から自律した主体として行為できるようになるための条件を探るものだとしたら、「承認」論は、それを社会心理学的な面、「人格」的な安定性という面からきめ細かく検討するものだと言える。

ヘーゲルの「承認」論を現代化したブランダム

セラーズやローティのネオ・プラグマティズムを継承する**ロバート・ブランダム**（一九五〇～）も、ヘーゲルの「承認」論を現代化することを通じて、分析哲学やリベラルな正義論の画一的な［主体―合理性］観を補正することを試みている。彼の議論は、主体の内面性や能力よりも「規範 norm」の形成に焦点を当てる。ブランダムにとって「規範」とは、カントの道徳哲学のようにアプリオリに存在するものではなく、主体同士の相関関係から生じてくるものだが、社会契約論で想定されているように、普遍的な理性を持った自律的主体の合意によって瞬間的に成立するものではない。複数の主体の間の相互作用の積み重ねを通して、徐々に形成されるものである。これは慣習から生まれてくる行動の規則性に道徳の起源を求めるヒューム（一七一一～七六）の発想に近い。

論文「ヘーゲルの観念論におけるいくつかのプラグマティズム的テーマ」（一九九九）でブランダムは、ヘーゲルの言う「承認」の本質を、お互いに自分の行動に対して一定のコミットメントをすること、あるいは、責任を負うことだと考える。**コミットメントすると**

か責任を負う（responsible for）というのは、自分がある行動をすることには一定の「理由reason」があり、それに従って一貫した行動をするつもりであることを、言語あるいは何らかの相手に伝わる仕方で示しているということである。無論、一方的なメッセージの伝達で、「規範」が成立するわけではない。同じメッセージを複数回相手が受けとめ、その人物がその理由に基づく判断や行為のパターンにコミットしていて、たとえ例外的に見える行為をした場合でも、同じように了解可能な「理由」があると確信するようになった時に、「規範」として妥当するようになる。主著『それを明示的にする Making It Explicit』（一九九四）などでは、お互いのコミットメントに注目して、「規範」を形成することを「スコア記録 scorekeeping」と呼んでいる――「理由」や「スコア記録」をめぐるブランダムの議論の詳細については、次章でもう一度詳しく論じる。

カントの道徳的哲学では、理論理性（認識する理性）や実践理性（道徳的に判断する理性）の主体である自我がまずあり、その自我が、自らが理性に従って依拠している概念枠組みに従って、対象の属性について判断したり、働きかけたりするというモノローグ的な図式になる。それに対してヘーゲルの承認論では、相手が「承認」する〝以前〟には、自らの認識の真理性や行為の正当性にコミットしている理性的な主体は存在しないし、「規範」も存在しない――ブランダムの言う「規範」には、認識のための基準も含まれており、彼は認識と実践的判断を連続的に捉えている。複数の当事者が過去の経験に基づいてお互いのコミットメントを「承認＝認識 recognize」する（英語の〈recognize〉もドイツ語の〈anerkennen〉も「認識」と相手の主張や立場を「認める」という二通りの意味がある）のに従って、それぞれにとっての「規範」や、それに従うべき「理由」「責任」がその都度形成されるわけである。当然、経験の推移によって変化する可能性がある。

これは基本的な概念や主体を、道具的に捉えているという意味で、プラグマティズム的である。ヘーゲルは「絶対精神」の歴史的自己展開とか絶対知というような言葉遣いをしているので、プラグマティズムとは真逆の印象を受けるが、ブランダムは、ヘーゲルの言う「精神 Spirit」とはお互いの行為を承認し合う共同体、承認的共同体（recognitive community）であるとする。無論この「共同体」は、生物の身体のように固定化した構造を持った実体ではなく、メンバーシップは開かれており、メンバーたちの経験とそのスコアの取り方に従って可変的である。

こうした〝主体〟間の経験をめぐるやりとりを「規範」の基礎と見なすブランダムの議論は、ヘーゲルの承認論とともに、ハーバマスの影響も受けている。ハーバマスは『真理と正当化』（一九九九）に収められている論文「カントからヘーゲルへ：ブランダムのプラグマティズム的言語語用論」で、概念や規範を実在論的に捉えるのではなく、コミュニケーション的行為の中で捉え直そうとするブランダムの試みをおおむね好意的に評価する一方で、ブランダムの承認論の捉え方だと、各当事者が自らの行為や言明に道徳的にコミットしているのか、単にその時々の都合でそう反応しているだけなのか判別する基準が、各スコア記録者にないことを問題として指摘している。相互に「規範」が形成されて初めてその判別基準が生じるとすれば、循環論法になる。ブランダムはむしろ、単なる反応と規範的態度の区別を相対化しようとしているように見えるが、コミュニケーション的実践の当事者が、コミュニケーション的ルールを基礎とする普遍的な規範を志向しているという立場を取るハーバマスにとっては、「規範」を全面的に文脈依存的にしてしまうことは受け入れがたい。

この点でのブランダムとハーバマスの違いに見られるように、相互承認の実践は、最終的には普遍的規範、正義原理に向かって進化しているのか、それとも文脈による変化、多文化主義的バリエーションに広く開かれており、ローティの言う意味での「基礎づけ」などないのかというのは、現代承認論の重要な論点になっている。

第 3 章

自然主義

自由意志は
幻想にすぎないのか？

人間の行動に固有の法則はあるか

私たちは通常、学問には大きく分けて二つの種類があると考えている。「理系」と「文系」である。「理系／文系」というのは日本語特有の分け方であるが、西欧にも自然科学や数学など人間の主観を排除して客観的に探求しやすい学問領域と、人文科学・社会科学など、人間固有の活動に関わり、それゆえに主観性を排除しにくい領域という、おおよその区別はある（これについては、隠岐さや香『文系と理系はなぜ分かれたのか』〔星海社新書〕などを参照）。その区別と、それぞれの領域ごとの方法論の相違と共通性について、哲学は深く関わってきた。

「自然主義」というのは、ごくざっくり言えば、理系的、自然科学的な方法論を文系の分野にも適用しようとする立場だ。それによって、「答え」が曖昧になりがちの文系をもっと〝科学的〟にしようとするものである。

先に名前を挙げた、一九世紀半ばに活躍したディルタイは、自然現象の因果的な「説明」を目指す自然科学と、人間に関わる事象の「理解」を目指す精神科学を原理的に区別した。新カント学派の哲学者リッケルト（一八六三～一九三六）は、現象が生じる一般的法則を明らかにする自然科学と、個々の出来事に内在する文化的価値の認識を目指す文化科学の違いを明らかにした。また、先にローティに関連して言及した「解釈学」とは、人間の精神活動の痕跡であるテクストに、同じ精神構造を持っているはずの他の人間が、言語を中心とする人間固有の記号体系によってアクセスし、その解読が可能であることを前提とする哲学の方法論である。精神科学あるいは文化科学のほとんどは、何らかの形で解釈学的な作業を含んでいる。それらは人間の社会的・文化的な活動と独立して存在・成立しているはずの領域を探究する自然科学や数学とは根本的に異なると言える。

無論、自然科学／文化（精神）科学の間の境界線がそれほどはっきりしているわけではない。心理学や地理学、統計学、人類学のように双方にまたがっている研究領域は近代初期から存在していたし、典型的な人文学とされる歴史学や文学が、データの統計処理や当事者（作中人物）の生活環境の説明、彼らの行動の前提になっている自然科学的知識の説明のために自然科学の知見を援用することはしばしばある。医学や工学が、研究・治療・実務的決定のための倫理的指針の策定において、哲学の一分野としての倫理学に依拠し、人間の生活習慣・社会環境に適合した技術の開発という面で、社会学や人類学の知見を援用するのも珍しいことではない。

自然科学／文化科学の違いが哲学的に問題になるのは、物理的因果法則に還元することがで

きない人間の行動に固有の法則が存在するのか、という点に関してである。固有の法則がなければ、両者の区別は相対的なものにすぎず、「解釈学」も、自然科学の基礎理論としての「科学哲学」の一変種にすぎない。あるいはそうでなかったら、似非《えせ》学問ということになる。逆に固有の法則があるのなら、両者の境界線を哲学的に明らかにすべく、ディルタイの仕事を現代において復活・継承する必要があるだろう。

人間固有の意志や行為の選択原理をどう明らかにするか？

哲学史的に見れば、こうした議論の起点になるのは、自然の因果法則に従う事物のあり方や運動を探究する理論理性の領域と、道徳法則に自発的に従おうとする実践理性の領域を区分すべきことを主張したカントの仕事だろう。物理的諸現象を規定する因果法則、あるいはその背後にある宇宙の根本法則を明らかにしようとする理論理性を、どのように位置づけるべきかというのは、フッサールやハイデガーにまで至る「超越論哲学」と呼ばれる議論の領域を生み出すことになった、かなり難しい問題だが、ここで肝心なのは、**人間が因果法則とは別の法則に従って自らの意志や行為を決定する可能性、すなわち「自由」がある、ということがカントによって示唆された**ということだ。カントは、因果法則から自由な行為の選択原理は、何らかの道徳法則であるはず、という前提で考えたが、何をもって「道徳的」というかはあまり具体的に特徴づけていない。普遍的な形式を備えていなければ、純粋な道徳法則ではないと述べているだけである。

そこで、因果法則とは異なった仕方で、人間の意志や行為を規定する法則が、「道徳法則」だと解することにしよう。マキャベリの言う、国家を維持するための「君主の徳（力量）」に従って行動することや、ニーチェの言う「力への意志」のようなものを追求することも、それらが物理的因果関係に還元できない、独自の法則性を備えているとすれば、「道徳法則」に含めるということである――もっともカント自身は、そういうものは「道徳」から排除するだろうが、これは本章での議論の筋道をはっきりさせるための便宜的な分類である。

そうした広い意味での「道徳法則」が――少なくとも、行動する人間の意識にとって――実在するとすれば、心理学、政治学、法学、歴史学、社会学、経済学、文化人類学などにおいて、因果的必然性だけでは説明できない（精神的・文化的な存在である）人間固有の行為の選択原理を明らかにしなければならないし、文学や芸術の研究においては、作品がどのような人間的価値の実現を目指しているか明らかにしなければならない――カントは、芸術の領域においては理性のもう一つの側面である判断力が働くとしているが、煩瑣《はんさ》になりすぎるので、ここでは実践理性と判断力の違いについては立ち入らない。リッケルトなどの、新カント学派の西南学派と呼ばれる一派は、道徳法則が妥当する領域の存在を前提に、諸学と哲学の関係を再編しようとした。

新しい「哲学」の使命——ウィーン学団と「統一科学」の構想

では、分析哲学ではこの問題はどのように論じられてきたのだろうか。分析哲学の倫理学部門を開拓した英国の哲学者ムーアは、『プリンキピア・エチカ（倫理学原理）』（一九〇三）という著作で、「善 good」のような倫理的概念を、「〜にとって有用である」とか「〜にとって心地よい」「〜の進化を促進する」といった、経験的に観察可能な属性から導き出そうとするのは、「自然主義的誤謬《ごびゅう》 naturalistic fallacy」だとして退けた。これによってムーアは、「善」「正義」「自由」「平等」といった倫理学的諸概念の意味やその相関関係を、人間の生理学的現象に還元しないで探究するメタ倫理学と呼ばれる領域を開拓した。

それに対して、一九二〇年代後半から三〇年代前半にかけてウィーンを拠点とし、「**論理実証主義** logical positivism」を掲げて活動した「ウィーン学団」は、哲学や社会科学を自然科学化する可能性を探究した。論理実証主義とは、科学の言語は論理学や数学のように論理的に厳密なものになるべきであり、かつ、そこで扱われる命題は、実験や観察によって検証可能なものに限定されるべきだとする科学哲学上の立場である。哲学はそのための基礎理論の役割を果たすべきであり、論理的に明晰ではなく、検証しようのない問題を扱う存在論のような形而上学的議論は論外であるとした。中心的メンバーは、先に名前を挙げた**カルナップ**（一八九一〜一九七〇）や、物理学者出身の科学哲学者**シュリック**（一八八二〜一九三六）、数学者出身で、社会科学への数理的手法の導入を推奨した**ノイラート**（一八八二〜一九四五）、物理学者で、確率論でも実績のある**ライヘンバッハ**（一八九一〜一九五三）、数学者の**ハンス・ハーン**（一八七九〜一九三四）などである。

ノイラート、カルナップ、ハーンの三人の連名で執筆された学団設立のための綱領的文書「科学的世界観：ウィーン学団」（一九二九）では、形而上学的・主観的な要素を完全に排除した「**統一科学** Einheitswissenschaft」の構想が打ち出されている。これは経験的素材を論理的に分析し、定式化するのに適した科学的記号体系を構築することで、異なった分野の研究者が同じ言葉で対話し、共通の世界理解を持つことを可能にするというものである。新しい「哲学」の使命は、世界に関する独自のテーゼを呈示することではなくて、「時間」「空間」「因果律」「蓋然性」……といった言葉の用法の曖昧さに起因する問題を解決して、統一科学的な世界把握の促進に寄与することだとしている。

主たる関心は、物理学、幾何学、生物学、心理学に向けられているが、社会科学の諸分野、特に歴史学と経済学にも言及されている。物理学などと比べると、これらの分野では形而上学概念からの浄化はあまり進んでいないが、原子のように直接観察できない対象を扱うわけではなく、戦争／平和、輸出／輸入のような比較的把握しやすいものなので、それほど切迫していないとも述べられている。「民族精神 Volksgeist」のような曖昧な概念を、特定の形態の人間の集団に置き換えるのはさほど難しくないだろう、と楽観的な見方を示してもいる。

「統一科学」への希求

ノイラートは論文「物理主義における社会学」（一九三一）で、統一科学の言語は、時空間の秩序とそこでの出来事を正確に記述することのできる物理学の言語に統一されるべきだと主張する。人間である「私」の「体験」は、身体の諸器官を構成する物質の運動として記述することが可能である。従来「思考」と呼ばれていたものも、何らかの物理的刺激に対して身体の言語機能が反応して、一つの言明の形を取り、それがさらに、自らあるいは他の人間の身体に反応を引き起こし、それがさらに……という一連の流れの一部と考えられる。このように人間の思考を生体の反応に還元する自らのスタンスを、ノイラートは心理学の用語を使って「**行動主義** Behaviorismus」と呼んだ。ちなみに行動主義心理学の基礎になったとされる「パブロフの犬」の実験がロシアの生理学者イワン・パブロフ（一八四九～一九三六）によって行われるのが一九〇二年、アメリカの心理学者ジョン・B・ワトソン（一八七八～一九五八）が行動主義心理学のマニフェストを出すのは一九一三年のことである。

ノイラートからすれば、ディルタイなどが精神科学に固有の方法としてきた「理解 Verstehen」や「感情移入 Einfühlen」も、物理学の言語に還元可能であり、人間の身体的な行動とは別に、「精神」の働きを想定する必要はない。彼は、ディルタイやリッケルトの影響を受けて、価値をめぐる人間の自己／他者理解に基づいて展開されるマックス・ウェーバー流の社会学を排除し、「社会行動主義 Sozialbehaviorismus」に立脚した社会学を提唱する。社会学者が過ちを避けようとするのであれば、人間のあらゆる行動を物理の言語で記述することを目指す行動主義の方法論を身につけるべきであるという。

ノイラートはさらに、形而上学的な概念に依然として強く引きずられている分野として、神の命令を体系的に明らかにする試みから出発した倫理学、人間の動機として経験的に実証的なものを想定する精神分析や、アドラー（一八七〇～一九三七）の個人心理学、経験的に確認できた規範（Norm）の体系として法を把握しようとしたケルゼン（一八八一～一九七三）の純粋法学などを批判の俎上に載せている。

彼の議論は、社会科学においても自然科学のように、定式化された法則によってこれから起こる出来事を正確に予測できるかどうかを理論の有効性の判定基準にすべきだとか、マルクス主義の唯物史観や上部構造／下部構造の二分法が「社会行動主義」の方向性と一致していると主張するなど、今から見るとかなり雑な社会科学観で、左派的な進歩主義に偏っているように思えるところが多々ある。だがそれは、ウィーン学団を支配していた「統一科学」への期待の高まりの一つの現れだったのだろう。ノイラートの想定する「統一科学」には、物理的なものに還元できない「規範」や「価値」を入れる余地はなさそうである。

カルナップについても述べておくと、その著作『世界の論理的構成』（一九二八）で、「物理的対象 physische Gegenstände」「心理的対象 psychische Gegenstände」「精神的対象

geistige Gegenstände」を区別している。「心理的対象」というのは、知覚、表象、感情、思考、意志などの意識的事象、およびそれらに対応する無意識の事象のこと。「精神的対象」に属するのは、社会的・文化的な意味を持つ個別の出来事や包括的事象、社会集団、制度、文化の諸領域における潮流、およびそれらの属性や相関関係などである。この著作でカルナップは、「物理的対象」を基礎にして「心理的対象」が構成され、「心理的対象」を基礎にして「精神的対象」が構成されるという階層構造があることを前提に、そうした「構成」の全体的なシステムを明らかにしていくことを「全体科学 Gesamtwissenschaft」の課題だとしている。一方で、「心理的対象」や「精神的対象」が「物理的対象」の機械的な組み合わせに還元できるというような安易な見方は避け、それぞれの対象領域の自立性を認めている。

しかし、その四年後の論文である「普遍的言語としての物理主義的言語」(一九三二)では、いかなる対象領域を扱う科学であれ、厳密に実証的であろうとすれば、物理主義的言語に翻訳可能な規則の体系を採用すべきであり、それによって「統一科学」が可能になる、というノイラートに近い立場を取っている。

クワインの穏健な自然主義

先に述べたが、このカルナップの弟子に当たる**クワイン**は、「経験主義の二つのドグマ」という論文で、経験科学的に検証可能な原子命題に、(経験的に検証する必要のない、必然的に真である) 論理による操作を加えることによって、全ての科学的に有意味な命題を導き出せるとするカルナップなどの発想を根底から論駁《ろんばく》した。それ自体単独で真である単純な原子命題といったものは存在せず、あらゆる命題は全体論的な体系の中で相互に依存しているとすれば、物理の言語を基準に全ての科学の言語を改造し、「統一科学」に組み込もうとするカルナップやノイラートの構想は、挫折を余儀なくされる。物理学の原子命題と見なされるものであっても、単独で真理であることはできないからである。社会・人文科学の命題を物理学的な原子命題に還元できたとしても、それによって真理であると証明できたことにはならない。全体論的に見て、後者が前者に依存している面もあるかもしれない。

ただしクワインは、カルナップ流の素朴な経験主義を批判したものの、形而上学的な前提を排除し、科学的に確認できた事実に即して思考すべきという「経験主義」の立場は維持した。絶対的に確実な原子命題の探求に固執するのではなく、科学全体の水準から見て、より確実な知へと進んでいくべくプラグマティックに判断すべきというのが、この論文の結論である。無論、「プラグマティックに」と言っただけでは、あまり分かったような気になれない。物理学的原子命題を信用できないとすれば、科学の基礎理論としての哲学は、何を手がかりにして、科学的な真理や言明の妥当性について考えるべきなのか。

ポパーは『探究の論理』（一九三四）で、「反証可能性 Falsifizierbarkeit」を備えていること、つまり、どのような実験や観察を行ってどのような結果を確認できたら、その命題を反証したことになるのかはっきりしていることを、科学的命題であるための条件として呈示している。逆に言うと、反証しようがない、抽象的で漠然とした命題には科学的価値はない。例えば、「全ての人間には理性がある」という命題であれば、理性の捉え方次第で何とでも解釈できてしまうので、明確に論証できない代わりに、反駁することもできない。

自然科学が経験科学であり、限られた条件の下で限られた数を対象とする観察からの類推によって推論を進めていく以上、いかなる命題であれ、最終的な真理として確定することはできない――ポパーは帰納法による推論を認めない。これは、物理学などの自然科学的命題の「検証可能性 Verfizierbarkeit」を、科学から形而上学や個人の主観を排除する不動の基準であるかのように扱うカルナップなどの、ウィーン学団の議論をより哲学的に厳格にする試みと言える。

またポパーは、諸科学の基礎を吟味する哲学的方法論までをも経験科学的な基準に置き換えようとするウィーン学団の発想を「自然主義 Naturalismus」と呼び、それは原理的に不可能だと指摘する。「経験」された事実が科学的命題として妥当かどうか吟味するには、「経験」から独立の方法論が必要になるのである。

しかし「反証可能性」は、あくまで個別の命題を批判的に検討し、科学的でないものを振るい落としていく消極的な基準である。社会・人文科学を含んだ科学の統一言語の構築には寄与しそうにない。ポパーとクワインによる二つの方向からのカルナップ批判の後では、数学・自然科学と社会・人文科学の間で「哲学」自体をどう位置づけるべきか、「哲学」はどのような言語で語るべきかという、ディルタイ以来の「哲学」にとっての潜在的な難問に答えるのは困難になったように思える。

そうした問題に対するクワイン自身による回答と思しきものが示されているのは、論文「自然化された認識論」(一九六九)である。この場合の「認識論 epistemology」とは、科学の基礎づけ、特に科学の言語に関わる理論である。彼はまず、全ての科学的命題を、物理学的な言語で叙述される観察命題へと還元しようとする、カルナップなどの旧来の「認識論」が挫折したことを確認したうえで、「認識論」を自然科学の一分野である「心理学」の中に位置づけ直すことを提案している。「心理学」が「人間という主体＝対象」へのインプットとアウトプットの関係を研究する学問だとすると、「証拠 evidence」というインプットと「理論 theory」というアウトプットの関係を研究する「認識論」は、その応用と考えることができる。

このように言うと、クワインはまるでウィーン学団が物理学モデルでやったことを、心理学モデルに置き換えようとしているだけのようにも聞こえる。だが彼は「自然科学」の一部門としての「心理学」が「認識論」をその下位部門として含むと同時に、「認識論」が「心理学」を含む「自然科学」を基礎づけるという形で、両者は双方向的に規定し合うことになるだろうと示唆する。さらに新しい認識論は、ウィーン学団のそれとは違って、全ての命題を「感覚与件」に還元しようとしないので、認知プロセスに関する経験的心理学の成果を自由に利用することができる、と主張する。

「感覚与件」をめぐる攻防

「感覚与件」というのは文字通り、人間の感覚に対して直接的に与えられる生のデータのことである。分析哲学の創始者の一人とされる英国の数理哲学者**ラッセル**（一八七二〜一九七〇）が『哲学の諸問題』（一九一二）の中で、「感覚与件」を経験の根拠として引き合いに出した。ノイラートとカルナップは、「感覚与件」を物理的言語によって直接的に記録したものを「観察文Protokollsatz＝observation sentence」と呼んでいる。カルナップが「観察文」と（科学的な諸命題の論理的基礎となるべき）「原子文（命題）」をどのように関係づけているのかは、論文によって記述の仕方が違うのではっきりしないところがあるが、「観察文」の中の一般的通用性の高いもの、あるいはそういう形へと変形したものが「原子命題」だと見ていいだろう。誰にとっても経験可能で間主観的に通用する「観察文」を得られるとすれば、それは「原子命題」としての役割を果たすことができると考えられる。完全にそれ自体で自明な「観察文」を得られるかについてはカルナップも懐疑的だが、「感覚与件」の存在は疑っていないように見える。

論理実証主義を英国に導入した**アルフレッド・エイヤー**（一九一〇〜八九）は、『経験的知識の基礎』（一九四〇）で、ラッセルやカルナップの「感覚与件」論を批判的に検討したうえで、「感覚与件」の実在性とそれを物理的言語で表現することの妥当性を主張している。それに対して、言語行為論の創始者でもある**オースティン**は、『センスとセンシビリア』（一九四七、六二：邦訳タイトル『知覚の言語』）で、「感覚与件」をめぐるエイヤーの言葉遣いを細かく分析している。

エイヤーは「感覚与件」の実在を証明しようとして、〈look〉〈seem〉〈appear〉〈be aware of〉〈see〉といった「知覚」に関わる動詞が使用される文を分析しているが、それらの語や文の意味をはっきり確定しないまま議論を続けているので、何を明らかにしたのかが定かではない。オースティンに言わせれば、「感覚与件」に正確に対応する「感覚与件言語 sense-datum language」を特定することは不可能なのである。セラーズは、論文「経験論と心の哲学」（一九五六）の中で、「感覚与件言語」とは実際には〈look〉などの動詞で表現される「（……）のように現れることの言語 language of appearing」であり、そうした動詞の使用規則＝論理によって縛られていることを明らかにする。セラーズはさらに、私たちの経験に直接的に与えられる（given）ものがあり、それを各人は推論抜きに意識することができ、したがって自分自身や他者が〝同じように〟経験するものと同定可能であるということを自明視することを「所与の神話」と呼んだ。そして、ロック以降の経験論の哲学がこの「神話」に囚われて、「経験的知識」の「基礎」を見出そうと不毛な議論を展開してきたことを示唆する。セラーズの「所与の神話」批判が、後にローティの「自然の鏡」批判の出発点になったわけである。

確実な知覚経験は、言語の外では意味を持たない?

少し脇道にそれるが、こうした分析哲学系の議論とは独立に、初期のデリダも同じような問題関心を持っていたことを指摘しておこう。『声と現象』(一九六七)や『グラマトロジーについて』(一九六七)などの著作でデリダは、フッサールの現象学や**ソシュール**(一八五七〜一九一三)の記号学に見られるように、西欧の哲学や人文諸科学は、意識に直接的に現前するものを自明視し、それを起点に全ての知を基礎づけようとしてきたことを指摘したうえで、そうした「現前性 présence」は、実は(第二章で見た意味での)「エクリチュール」によって再構成されたもの、再現前化=表象作用(représentation)の産物にすぎないことを明らかにする。それがデリダによる「現前性の形而上学」批判として知られているものである。**"絶対的に確実な知覚経験"と思われてきたものは、実は言語によって構成されたものであり、言語の外では意味を持たないのではないかという問いは、分析哲学とポスト構造主義をつなぐ、現代哲学の重要テーマであったわけである。**

話をクワインに戻すと、彼にとって、全てを「感覚与件」に還元することを目指す論理実証主義的な企てを放棄することは、あらゆる科学の領域を同じ論理で基礎づけることのできる、究極の「認識論」を放棄することでもある。「心理学」が、絶対に疑い得ない「感覚与件」を起点とする学問ではないとすると、「心理学」の一分野である「認識論」があらゆる科学的な知を完全に体系的に基礎づけることなどできない。私たちの認識の起点が、刺激に対する受容器官の反応だとすれば、その反応が〝外界の物理的現実〟に正確に対応していると言える根拠はない。そもそもその対応関係自体を裏づける客観的な基準を、心理学自体が与えることはできない。さらに言えば、そこに意識の関与がないとすれば、その反応を「観察文」のような形で客観的に再構成することはできない。しかもそれを解釈して、「観察文」に翻訳するに際しては、観察者の使っている言語の特徴や本人の過去の経験によって、表現形式が規定される――デリダ式に言えば、「エクリチュール」に支配される。

そこでクワインは、「観察文」を言語共同体と関係づけ、次のように再定義する。「その共同体の全てのメンバーが、同じ刺激の下で、合意するであろう文」。つまり、ある刺激を受けた共同体のメンバー全員が、その時自分が感じたことを表現している文として、例えば、「AはB色だ」(X)とか「ここではCに感じられる」(Y)といったものを採用することに合意するとしたら、XやYがその共同体にとっての「観察文」だということになる。「観察文」を獲得するには、その言語を構成する言葉や文の使われ方と、刺激とのつながりを研究する必要がある。心理学と言語学を組み合わせたアプローチを続ければ、定義通りの「観察文」に少しずつ近づいていけるかもしれないが、ウィーン学団が求めていたような、絶対確実で普遍性のある物理的事実に全面的に対応する観察文は獲得できそうにない。

結局、一回きりの基礎づけは不可能であり、その都度の心理学や言語学の知見によって、「認識論」を修正し、かつ「認識論」的な見地から心理学・言語学を基礎づけし直す、という往復を繰り返すしかない。それがクワインの見いだした穏健な自然主義の路線である。

「原因」と「理由」はどう異なるのか

ウィーン学団やエイヤーのようなラディカルな自然主義と、オースティン、セラーズ、クワインらの穏健な自然主義の大きな違いは何か。それは絶対確実な「感覚与件」を想定して、全ての科学命題がそれに還元できるか、という点に要約できる。**これと密接に関係したもう一つの理論的な争点として、「原因 cause」と「理由 reason」の違いをどう考えるか、ということがある。**物理的な因果関係における「原因」とは別に、人間の行動に固有の「理由」があるとすれば、それを探究する非自然科学的な分野が存在する根拠になる。

分析哲学において、この問題をめぐる議論の出発点になったのは、後期ウィトゲンシュタインである。ウィトゲンシュタインの没後に刊行された『哲学探究』では、自分の腕を持ちげようとする私の「意志 will」と、実際の腕の運動の間にどういう関係があるか、という問題が論じられている。私たちは自分の「意志」が、腕が持ち上がるという結果を引き起こす原因だと考えがちだが、「腕を上げたい」と思っても持ち上がらないことがあるし、特に意識しなくても、自然と腕が上がっていることはしょっちゅうある。仮に私の「意志」に従って、腕の運動が起こるとしても、私は自分の筋肉が意志に従ってどう動くのかさえほとんど知らないし、たとえ分かったとしても、自分の「意志」でコントロールすることは通常できない。

この『哲学探究』のための予備的考察として位置づけられている一九三三〜三四年の講義録（通称『青色本 The Blue Book』）と、三四〜五年の講義録（通称『茶色本 The Brown Book』）は、五八年に刊行されている。これらの中では、この問題が「原因」と「理由」の違いという側面から論じられている。いずれも「なぜ why」という問いに対する「答え」になるので混同されがちだが、異なるものである。

私の「行為 action」（b）が一定の条件の下で規則的に生じる場合、その条件が「原因」

（a）と呼ばれる。Bを実行する際に、私自身が［A→B］を承知している必要はない。AがBの「原因」であるというのは、経験に基づく仮説である。それに対して「理由」は、「行為」が成された後、行為の「正当化」のために、私自身が与えるものである。「理由」は仮説ではなく、私自身が与えるものなので、経験による裏づけは必要ない。

このように整理すると、「原因」が、ある行為を特定の物理的因果関係の中に位置づけるものなのに対し、「理由」は規則、慣習、規約、他者の期待といった社会的・文化的な脈絡に位置づけるものであり、明確に異なっているように思える。これに対して、クワインの影響を受けて分析哲学者になり、六〇年代から七〇年代にかけて行為論や真理論、心の哲学など分析哲学の主要な問題領域全般にわたって、圧倒的な存在感を示した**デイヴィッドソン**（一九一七〜二〇〇三）は、「行為、理由、原因」（一九六三）で、「理由」による正当化もしくは合理化（rationalization）もまた因果的説明（causal explanation）の一種であって、「原因」による説明に、その人の評価的な態度や信念が含まれている特殊ケースにすぎない、と指摘している。

ある人が特定の行為をした「理由」を聞いて我々が納得するのは、その「理由」による説明が、我々が「合理的」なものとして想定する、通常の因果的連関の中に収まっていると思える時である。聞き手がそれで実際に納得するのであれば、その行為は「合理化」される。聞き手が、自分でもそうしたかもしれないと考えれば、その行為は同時に「正当化」されたことになる。これは、私たちが自分の失態に対して言い訳（正当化）をする時に、どういうことを言うかを考えれば分かりやすいだろう。

そのように「理由」を、特定の類型の「原因」と考えた場合、原因と結果の間に普遍的な法則を想定するウィトゲンシュタインの想定と相容れなくなるが、デイヴィッドソンに言わせれば、そもそも因果的説明が、一義的に確定し得る因果法則に依拠しなければならない、ということはない。人間が直接関わらない物理的な出来事でさえ、原因と結果の間に因果法則を想定できないことの方が多い。

デイヴィッドソンの議論は、**「理由」を「原因」の中に組み込むという点で、人間の行為に固有の法則の存在を否定し、人文・社会科学的な知と数学・自然科学的な知の区別を解消する方向に向かっていると言える。**だが、因果関係を厳密な物理学的法則に早急に還元することなく、因果関係を表現する言語の役割を重視しているので、クワインの「自然主義」と同様に、人間的な「理由」の論理が働く余地を多く残している。クワイン＝デイヴィッドソンのラインによって確立された分析哲学のメインストリームの議論は、言語を媒介にして、真理、意味、対象の指示、行為者の意図などについて論じるものになったので、その枠組みに留まる限り、二つの知の領域の境界線をめぐる問題はさほど際立たなかった。

人間の行為は基本概念に還元できない

二つの領域の違いを再び際立たせることになったのは、先に述べたローティの『哲学と自然の鏡』である。ローティは、哲学を「自然の鏡」にしようとしてきた、ロックから現代の分析哲学主流派に至るまでの「認識論」的・「基礎づけ主義」的な哲学を批判し、「解釈学」的な方向性を標榜した。それとともに、それまで概念的に厳密でないと見なされ、分析哲学ではほとんど真面目に参照されることがなかったニーチェやハイデガーなどの言説を、プラグマティズムの認識論的行動主義を仲介にして取り込んだことで、議論の状況は大きく変化することとなる。彼はデイヴィッドソン以降、分析哲学の主流と見なされていたヒラリー・パトナム（一九二六〜二〇一六）やダメット（一九二五〜二〇一一）を、「言語＝自然の鏡」派の代表に見立て、文脈による意味の変容に注意を向けていたデイヴィッドソンとの違いを強調する、という戦略を取っている。

ローティは、「精神／自然」の二分法や、科学を〝超えた〟形而上学的な語彙による議論は認めないという意味で、自らの立場を「自然主義」と呼んでいるので紛らわしいが、人間の行為が非物理的性格（数学や物理学の基礎概念のようなもの）に還元できず、社会的・文化的な文脈によって変容する余地が大きいことに関心を向けさせたのは間違いないだろう。現象学や解釈学の知見を動員して人工知能と人間の知性の根本的な違いを明らかにし、またハイデガーの『存在と時間』を、文脈的に限定された環境の中での人間の行動の方向づけを解明する試みとしてプラグマティズム的に読み解いた**ヒューバート・ドレイファス**（一九二九～二〇一七）の七〇年代から九〇年代にかけての仕事も同様に、分析哲学と伝統的な人文的知との基本的な関係を修復する試みと見ることができよう。

マクダウェルの「緩やかな自然主義」

そうした状況の中で、「所与の神話」批判と、「理由」の因果法則からの相対的自立性をめぐる議論を再開したのが**マクダウェル**（一九四二～）である。彼はその著作『心と世界』（一九九四）で、セラーズが「経験論と心の哲学」で「理由の論理空間 logical space of reasons」と呼んでいたものを、自然科学的な論理が支配する「自然の論理空間 logical space of nature」と対置したうえで、体系的に再構成することを試みている。マクダウェルは

「理由の空間」の固有の性質を認めず、「所与の神話」に依拠して人間の経験の全てを「自然の論理空間」に還元しようとする「露骨な自然主義 bald naturalism」を批判する。

マクダウェルによると、「理由の空間」が存在するのは、人間の経験の二重性に起因する。人間は他の動物のように、外界からの働きかけに対して知覚的に感応する（外的経験）だけでなく、その刺激を自己の内で意識し（内的経験）、それに関する概念を形成する自発性（spontaneity）も備えている。何か音が耳に響くとそれに直接身体的に反応するだけでなく、「……の音が（私に）聞こえた」というように、概念を使って自分に起こったことを把握しようとする、ということだ。自発的であるというのは、人間が外的／内的経験に関して持つ諸概念がどのようなものになるか、自然法則によってあらかじめ決まるわけではなく、主体の側の自由が働く余地があるということである。そうした自発性が、原初的と思われている知覚経験においてすでに働いているとすれば、「所与の神話」は成り立たない。

自己の自発的に形成された概念は、対象の知覚に際して自動的に適用されるだけではなく、人間が外界の諸事物や他の人間に対して能動的に働きかける際の媒介にもなる。この人間的な「自発性」が強く現れてくるのが、「理由の空間」である。この意味では、自然科学もまた、「理由の空間」に属するが、自然科学が研究の対象としている諸現象は、人間の自発性とは基本的に関係のない、因果法則的な形で現れる「自然の論理」に従っている。自然法則とは異なる「理由」の論理の独自性がはっきり現れるのは、「倫理」の領域だ。マクダウェルは、「徳」(=倫理的態度)の習得をめぐるアリストテレスの議論を参照する。

プラトンのイデア論で想定されているように、自然を完全に超越した善のイデアに導かれる形で、人間が道徳的に行為するということはない。しかし社会の中で生きる人間は、自らがその都度の状況の中で、明確に自覚することなく実行した行為、習慣的に行っている行為を、その帰結や他者の評価に基づいて反省し、それが正しかった、間違っていたかを判断し、なぜそうなのかを考える中で「理由」を見いだすようになる。「理由」は自発的な概念形成能力が高度に発揮されることによって産出される。「理由」をめぐる反省と、行為のパターンが次第に結びつき、身についてくると、それが「第二の自然」としての「徳」になる。**「第二の自然」を獲得した人間の行為を導くのが「理由の空間」である。「理由の空間」の中で思考する倫理的な主体は、自らが今どうすべきか、その状況に関係しそうな「理由」のストックを駆使し考えるようになる。**

マクダウェルは、人間が生物学的な傾向性に部分的に反する「第二の自然」を獲得し、社会・文化的な状況に合わせて間主観的に発展させていくとする自らの立場を「**緩やかな**

自然主義 relaxed naturalism」と呼ぶ。物理的・生物学的因果関係に還元されない「理由」の独自の論理性を強調する彼の立場は、「公共的理由（理性）」をめぐるロールズやハーバマスのリベラルな倫理学・政治哲学と親和性があるし、倫理をアプリオリなものではなく、アリストテレス的な「第二の自然」に由来すると考える点では、サンデルの自己観とも親和性があると言えるだろう。

哲学の「外」からの攻勢——ソーカル、ウィルソン

一九九五年に、アメリカの物理学者**ソーカル**（一九五五〜）が、新左翼系の学術雑誌でポストモダン系の思想と親和性が高いとされていた『ソーシャル・テクスト』に、インチキの数学や物理学の理論をちりばめた「境界を侵犯すること」というタイトルの〝論文〟を寄稿するという一件があった。それが受理・掲載された後で、ソーカルが自分の文章がインチキであることを公表し、それをポストモダン系の思想全体の欺瞞の証拠だと主張したことで、「サイエンス・ウォーズ（ソーカル事件）」と呼ばれる騒動が起こった。これには批判のターゲットとされたポストモダン系の哲学だけでなく科学社会学者、科学哲学者なども参戦し、ポストモダン思想の存在意義、人文・社会科学における自然科学・数学的なメタファーの使用、学術雑誌の査読制度と論文執筆のモラル、人文・社会科学と自然科学・数学の適正な関係、アカデミズムの予算と組織……といった広範な問題が話題になった（この経緯について詳しくは金森修『サイエンス・ウォーズ』〔東京大学出版会〕を参照）。

ソーカルは戦略的に、ポストモダン系と目される思想にターゲットを絞ったが、この前後から、自然科学系の学者、特に人間の認知メカニズムを研究の対象とする生物学者や認知科学者による、明確な論理で語らない人文・社会科学系の学問の現状を批判する議論が目立つようになり、それに哲学者たちも反応するようになった。論理実証主義の問題提起と似た状況が——かなり大雑把になった形で——生じた。

自然科学者による批判の中で比較的まとまったものとしては、昆虫学者・生態学者で、社会生物学を開拓した**エドワード・O・ウィルソン**（一九二九〜）の『コンシリエンス：知の統合』（一九九八、二〇〇二：邦訳タイトル『知の挑戦』）を上げることができる。「コンシリエンス consilience」は、「共に」という意味の接頭辞〈con〉と、「跳ぶ」とか「跳ねる」という意味のラテン語〈salire〉から合成された造語で、異なった方法から導かれる結論が収《しゅう》斂《れん》することである。

この著作の冒頭でウィルソンは、自然科学と人文・社会科学の「コンシリエンス」の必要性を主張する。例えば環境問題を考える際に、「倫理学」「生物学」「社会科学」「環境政策」の四つの分野が関連しており、それらが連携して問題解決に当たるべきであること、そのためには一つの分野での議論の成果が他の分野にもすぐ伝わるようにしておく必要があることは誰にでも分かっているけれど、なかなかそうはならない。ウィルソンに言わせると、それは何を共通の抽象原理や証明力のある証拠と見なすかについて、専門家の間での合意がないからである。

物質世界を探究する自然科学に関しては、諸分野間の境界線は次第に消え、分子遺伝学、化学生態学、生態遺伝子学など、コンシリエンスを内包する混成領域が生まれつつある。人間の行為も物理的因果関係による出来事から構成されている以上、人文・社会科学も自然科学との統合を目指すべきである。そうした前提に立つウィルソンは、様々な専門用語を使って、統合に反対する少数の哲学者を非難する。彼に言わせれば、科学では解明できない未知の問題を考えることを自らの使命としてきた哲学は、次第に縮小していく領域であり、できるだけ「科学」化されるべきなのだ。

ただ、ウィルソンの言う二つの領域の「統合」は双方向的なものではなく、主として人文・社会科学の側が、因果関係として現れる自然法則を自らの方法論の基礎として受け入れ、自己変革することによって達成されるもののようである。生物学者である彼は、哲学や社会学が取り組んでいる諸問題の多くは、生物学的な基礎から説明が可能であると考える。ウィルソンは、「自由意志」によって自らの行為を選択している「自己 self」を認めない。仮に存在するとしても、それは身体の様々な回路の中で進行している意識外のプロセスに操られており、人間は自らの行為に対する完全な指揮権など持っていない。「自由意志 free will」というのは、決定に至るまでの意識外の活動、「心 mind」の仕組みがまだ完全に分かっていないがゆえに生じる幸運な「幻想」にすぎないのである（「心の哲学」については次章で論じる）。

彼は人間の文化について、「文化は共同体の精神によって作られ、個々の精神は遺伝的に構築された人間の脳の所産である」と断言している。集合的な所産であり、できあがった文化が個人の精神に影響を与える面もあるが、神経経路や認知の発達の規則性は遺伝子によって規定されているため、個人が受け容れることのできる文化的選択肢は限定されている。例えばヘビに恐怖を覚える生得的な反応があって、それをベースにした集団内のやり取りを通して、ヘビ、特に毒ヘビに関する夢や神話が発生する素地が生まれる。遺伝子は文化を創り出し、一定のフィードバックを受けながら、ともに進化している。ウィルソンはそれを「遺伝―文化共進化 gene-culture coevolution」と呼ぶ。「文化的規範 cultural norm」は、この「遺伝―文化共進化」と深く関係している。競合する他の規範よりも生存や繁殖にすぐれた規範は〝生き残り〟、それに従っている集団の文化的進化を促進する。文化的進化は遺伝的進化よりも速く進行するので、次第に両者のつながりは緩くなるが、完全に切れることはない。こうした議論は単純すぎるように思えるが、英国出身の生物哲学者マイケル・ルース（一九四〇～）らの仕事を通じて倫理学の一つの領域として認知されつつあった、道徳感情や文化的規範の本質を進化論の観点から明らかにしようとする「進化倫理学 evolutionary ethics」と軌を一にしている。

こうした前提に基づいて、**自然科学の側では、精神活動の身体的な基盤を研究する認知神経科学や脳科学、人間行動の遺伝的基盤を探る人間行動遺伝学、社会的行動の遺伝的起源を探る社会生物学、人間の進化の基盤となった環境を研究する環境科学などの試みが進んでいる。**社会科学の諸分野は、これらの研究の成果を踏まえて自己を刷新し、人間が不合理な判断をしてしまう原因の解明や、個人や社会の効用を最大化する方法の探求、未来の予測などに関して、具体的な成果を出せるようにすべきである、という。

進化論から自由を考える

哲学者の側にも、こうした自然科学の挑戦、極めて分かりやすい「自然主義」——ウィルソン自身、自然科学による人文・社会科学の基礎づけという意味で「自然主義」という言葉を使っているが——の攻勢に肯定的に応じようとする人たちはいた。その代表格が、クワインの指導を受けたアメリカの哲学者で、「心の哲学」と認知科学の境界領域で仕事をしている**デネット**（一九四二〜）であろう。デネットは、「自由意志」が幻想であるとは言わない。むしろその存在を肯定する。ただしそれは、カントなどが想定しているように、生物である人間の身体的制約を超えたところで作用するものではなく、周辺の環境に応じて——他の動物には見られない——合理的な行動を選択できる能力を意味する。

『自由は進化する』（二〇〇三）でデネットは、「自由意志論vs.決定論」の思想史を概観し、双方の立場の問題点を指摘しつつ、それらに関連する認知科学の最新の知見を紹介したうえで、進化論の観点から「自由」を考えるべきだと主張する。動物の中には、単に環境に反応するだけでなく、環境の中から一定の情報を取り出し、何をすればどうなるかシミュレーションすることのできる能力を備えているものもいる。だが人間の場合、脳内の情報処理装置を選択して、行動する自分自身を監視し、制御する能力をも持っている。その能力の行使のために、言語を始めとする各種の外部装置が利用される。

言い換えると、「私は○○という予測の下に△△しようとしている。しかし、○○以外の可能性はないのか。その場合△△ではなくて、□□あるいは◇◇の方がいいのではないか」というような内面的な問いかけ（反省）の形を取る、シミュレーションのシミュレーション……のシミュレーションによって、人間は自分の行動の合理性を高めることができるというわけである。**それを可能にするのが、自己の思考を客観的に表現し、時間差を置いて観察可能にする言語である。**これを文字にして記録しておけば、脳自体の記憶容量を超えた自己モニターが可能になる。さらに「文化」という形でストックされた他者たちの経験を援用することも可能になる。道徳や法などの規範もまた、こうした脳の外部装置としての「文化」の一部であり、他の情報ストックを活用する場合よりも、「私」自身の関与の度合いが低い仕方で、いわば強制的に発動するだけの違いである。こうした視点に立つ彼は、ウィルソンと同様に、脳を中心とする人間の生物的特徴と文化的諸装置が「共進化」する構図を描き出す。

「ミーム」とは何か？

人間の遺伝子と共進化（coevolve）する文化の遺伝子に相当するものを、デネットは「**ミーム** meme」と呼ぶ。これはもともと生物学者で、進化論的な見地に立つ自然主義者として知られる**ドーキンス**（一九四一〜）が、世界的に物議を醸した『利己的な遺伝子』（一九七六）で、人間に特有の「文化」を介した進化の仕方を説明するために導入した概念である。「ミーム」とは、人々の会話、教育、書物、メディア、儀礼などを媒体にして脳と脳の間をつなぎ、自己複製しながら進化を推進する情報の単位である。

デネットは、『自由は進化する』以前の『解明される意識』（一九九一）や『ダーウィンの危険な思想』（一九九五）などの著作でも、人間の「心」の進化を説明するために部分的に「ミーム」概念を用いているが、文化的進化のメカニズムを論じた『心の進化を解明する』（二〇一七）では、「ミーム」に中心的な地位を与えている。この著作でデネットは、生物の情報処理システムの進化と、人工知能の情報処理システムを並行して記述しながら、「ミーム」がソフトウェアに似たような機能を果たしていると主張する。ソフトウェアであるとすると、かなり異なった特性を備えた個体間、異なった環境間でも文化の伝播が可能である一方、今となっては何の役に立つのか分からず、バグ（矛盾）を引き起こす原因にもなる奇妙なコマンド（規範）が存在しているのも説明がつく。

デネットは、「ミーム」を介しての文化的進化との関連で、セラーズと、彼の「理由の論理空間」論の影響を受けたマクダウェル、ブランダムやジョン・ホーグランド（一九四五〜二〇一〇）などピッツバーグ学派の議論を〝補足〟する議論を行っている。デネットは「理由」をめぐるピッツバーグ学派の議論の意義を否定しているわけではない。彼が問題にしているのは、「理由提供ゲーム reason-giving game」がどのように進化してきたかを、ピッツバーグ学派が問うていないことである。ウィトゲンシュタインやデイヴィッドソンがこだわった「理由」と「原因」の区別をめぐる問題に、デネットは進化論的な視点から答えることを試みる。

私たちは日常的に、「なぜ why」という問いと「どのようにして how」という問いを混同する。これは単に私たちが言葉に不注意だからではなく、進化論的な根拠があるとデネットは主張する。「原因」は「過程記述 process narrative」であり、〈how〉に対応しているのに対して、「理由」は〈why〉に対応していると考えている。両者はもともと同じ性質のものだったが、文化的進化に伴って、後者から前者が分化してきたのである。進化の途上にある各生物種や個体にとって問題になるのは、「どのようにして」自らの生命を維持し、自己を複製するかである。単純な構造しか備えていない生物にとっては、どのような事態が生じた際に、自らに備わっているどの器官をどう用いるかはほぼはっきりしており、その動きは瞬間ごとにほぼ自動的に決定される。しかし複雑な生命体になると、目の前の状況だけでなく、周囲の状況やしばらく後に起こることを予想し、どういう動作に集中するのが最善かを計算する必要が出てくる。そこで、（他の動作ではなく）「なぜ、その動作なのか」という問いが生じる。また、そうした複雑な生物は、それ以前の段階の遺伝情報を大量に継承しているため、その器官や機能は「どうして」存在しているのか、その「目的」がすぐに分からないものがある。場合によっては、もともとの用途（「いかに」）とは異なる「目的」が後から付与されることもあるだろう。

「目的 purpose」とは、現に進行中の各段階の動作の連鎖から直接見えてこない、運動の方向性あるいはゴールだと言える。アリストテレスは、自然の運動に究極の「目的」があるという前提で自然哲学を展開したが、近代生物学も哲学も、「目的論」は形而上学的な発想だとして排除しようとしてきた。無論、デネットは、神と宇宙の究極の原理のようなものによって設定された絶対的な「目的」を復権させようとしているわけではないが、進化の過程で、その生物にとっての進化の方向性を示すものとして「目的」を再定義したうえで、自らの進化論の中に位置づける。彼は、生物が自らの運動の「目的」を——必ずしも意識することなく——見いだし、それを追求することを、工学用語を借りて「**リバース・エンジニアリング** reverse engineering」と呼ぶ。「リバース・エンジニアリング」とは、できあがった製品を分解して、その製品を動かす原理やコード、各機能が存在する目的などを明らかにすることだ。

生物学の視点からは、他の高等動物も、自らの身体機能や特定の環境下での動作に関して遡及的に「目的」の掘り起こしを行っていると見ることができるが、人間は「ミーム」、特に言語を介してそれを極めて効果的に行っている。しかも複数の個体の間で情報交換することで、さらに情報の精度を挙げることができる。**そうした情報の核にあり、各人の選択と行為を正当化するのが「理由 reason」である。**進化の途上で浮上してくる「目的」に関わる「理由」——「どの目的を追求すべきか？」「どういうやり方で追求すべきか？」「どうやったら、そのゴールに到達できるか？」などのやりとりを通して、人間の応答可能性＝責任能力（responsibility）が発達してきたのである。

「理由」を提供し合うゲームを進行するにはルールが必要だが、その基準になるものをデネットは「**規範性** normativity」と呼ぶ。「規範性」には、「道具的規範性 instrumental normativity」「社会的規範性 social normativity」の二種類がある。前者は、品質管理や結果の実効性に関わるもので、「工学的規範」と言い換えてもよい。後者はコミュニケーションや協力に関係するもので、倫理学で通常「規範」と呼ばれているのはこれである。二つの規範性では、「良さ」の基準が異なる。前者では「良い道具 good tool」という時の良さが問題になるのに対し、後者では「良い行い good deed」という時の良さが問題になる。

私たちが道具や行為を選ぶ直接の「理由」は、その時点で明確に意識されていなかったり、それが「良い理由 good reason」かどうか、評価が定まっていなかったりすることが多い。その後の「理由提供ゲーム」の中で言語によって表象され、他の選択肢を支持する理由と比較対照される中で、評価が定まっていく。そうやって生き残り、定着した諸理由から「理由の論理空間」が構成される。「道具的規範性」と「社会的規範性」では対象が異なるので、やりとりされる「理由」の種類もゲームの進め方も異なるが、いずれも人間の文化的進化の方向性を制御すべく、長期的に作用するものとして〝デザイン〟されたミームであることに変わりはない。

こうした進化論的な見地に立つと、「理由」と「原因」をめぐって、細かい問題設定をしながら専門的な議論を積み重ねてきた従来の哲学のあり方が空虚に思えてくる。

反自然主義からの応答

ウィルソンやドーキンスによる外からの定款《ていかん》を、「哲学」自体の中に取り込もうとするデネットのような自然主義的な路線に対しては、当然、賛否両方の側から様々なリアクションが起こっている。反自然主義の立場の代表格は、言語行為論だけでなく、心の哲学や社会哲学の領域でも積極的に発言している**サール**(一九三二〜)である。

人間の意識と行為における「**志向性** intentionality」を重視するサールは、人間の脳を、AIにおける情報処理と対比する認知科学の議論や、このアナロジーに依拠して、人間の意識を脳細胞の中での因果的な作用に還元しようとする自然主義的な試み全般に批判的である(意識の本質をめぐる議論は「心の哲学」の問題なので、本格的には次章で触れる)。「志向性」というのは、簡単に言うと、与えられた情報を処理するだけでなく、そもそもどこに自らの意識を向け、対象として関わるか、という意識の能動的な側面である。意識における「志向性」に、情報処理の最適化というAI的な機能以上の固有の役割を認めるか否かをめぐって八〇年代からデネットと論争しているサールは、「ミーム」論に対しても批判的である。『意識の神秘』(一九九七)でサールは、「模倣 imitation」を通じて伝播されていく「ミーム」と、「遺伝子」のアナロジーは見当外れであると主張する。遺伝子を介して進化は盲目的な自然の力によってランダムに進行するのに対し、文化的な「模倣」には、人間の「意識」や「志向性」が不可欠だからである。サールからしてみれば、この違いを重視していないのは、デネットが「意識」や「志向性」を、AIの高度の機能と同一視して、固有の意義を認めていないからに他ならない。

『社会的現実の構築』(一九九五)や『社会的世界の制作』(二〇一〇)では、個々の主体を越えた「集団的志向性 collective intentionality」と言語行為、特に発語内行為に備わった、特定の行為や態度へと自他をコミットさせる性格から、「制度的事実 institutional facts」の存在を導き出すことを試みている。この制度的事実の枠内での言語を伴う相互行為によって義務、権利、責務などの人間に固有の「欲望から独立の行為理由」が作り出され、(自らの自然な欲望から独立して)それらの「行為理由」や制度が与える規則に従うか否かの「自由意志」が働く余地が生じてくる、という。サールは、「集団的志向性」や「言語」の起源は、生物学に基づいて自然主義的に説明できるという前提に立ちながら、いったん社会的制度、社会的世界が構築されると、生物学的な因果関係から独立した「理由」に基づく行為が可能になる、というマクダウェルに近いスタンスを取っている。

自由意志は幻想か？

アメリカの科学哲学者**アレクサンダー・ローゼンバーグ**（一九四六〜）は、デネット的な意味での「自然主義」の提唱者の一人である。『無神論者による現実のガイド——幻想なき生を享受すること』（二〇一一）では、ウィルソン以上に極端な自然主義＋科学主義の立場を取り、自由、自由意志、道徳性、意志の目的などは幻想であり、人文科学による人間的諸事象の意味の「解釈 interpretation」は無力であると、アイロニカルに断言している。その一方で、『社会生物学と社会科学の優先事項』（一九八一）、『社会科学の哲学』（一九八八）などの著作では、自然科学的な方法論や着想を取り入れた研究が、すでに経済学や政治学の社会科学の諸分野に積極的に取り入れられ、合理的選択論などが人間の行為を数学的モデルで説明することに一定の成果を挙げていることを強調しているが、これまで「理由」と呼ばれてきたものを完全に因果関係に置き換えるには至っておらず、「解釈」の働く余地が残っていることを強調することでバランスを取っている（二〇一六年の『社会科学の哲学』の第五版でも中間的なスタンスを保っている）。

デネット流の自然主義を、ピッツバーグ学派の「理由の論理空間」やハーバマスの「コミュニケーション的行為の理論」により接近させる方向に修正しているように見えるのが、カナダの哲学者で、ポストモダン左派に対する批判で有名なジョセフ・ヒース（一九六七〜）である。

『ルールに従う』（二〇〇八）でヒースは、社会生物学などに影響された自然主義的・進化論的な社会理論の大半が、各個体に進化の結果として備わっている属性——道具的合理性、あるいは利他性から、道徳を始めとする社会的規範を直接的に導き出そうとしていることを問題視し、それらの限界を指摘する。そのうえで、進化の過程で人間に備わるようになった規範同調性（norm-conformity）と、広く共有された「規範」によって調整されたゲームに参加することによって実際に得られる効用との間のフィードバック関係によって次第に高度な社会統合（social integration）がなされるようになることを、本書の第二章で見たブランダムの「コミットメント」と「スコア記録」をめぐる議論を参照しながら論証している。私たちは、お互いに相手がどのような問題に対してどういう態度を取るか、例えばレジの前での列の作り方や、どういう時にどういう言葉遣いをするか、ということを記憶し、それがある頻度を超えると相手がそのルールに従っていると認識する。

当然、「スコア記録」と「コミットメント」が、「規範」の体系を形成するうえで、規範的な「理由」をめぐる公的コミュニケーションが重要な役割を果たす。「あなたはいつも……していらっしゃいますが、そういうルールが正しいという態度を取っているのですね」と確認し合い、共有できるルールは共有するようになるというわけだ。「ルールに従う」ことには、生物学的・生理学的な問題に還元し切ることのできない、文化進化論的な意味があるのである。ヒースによれば、アリストテレスから現代の行動経済学や脳神経倫理学に至るまで、二千数百年にわたって社会理論家たちを悩ましてきた「アクラシア akrasia」、つまり「意志の弱さ weakness of will」をめぐる問題も、社会的ルールに従うことで効用を得ようとする「実践的合理性 practical rationality」の自己自身への適用という観点からうまく説明できるという。

「自然科学」も作られる

分析哲学系の議論では、「物理学や生物学では厳密で客観的に対象を分析する方法論が確立されているが、それを対象の性質が異なる人文科学や社会科学に応用するのは……?」という受け身の形で問題が立てられることが多い。クワインだけでなく、マクダウェルやブランダムも、自然科学自体の有効性を疑問視するようなことはしない。これは一九世紀以降、哲学を含む近代の人文・社会科学が一般的に、自然科学や数学に対して一種のコンプレックスを感じ、その挑戦をどう受けとめるかを常に意識していた、ということを考えれば、当たり前のことでもある。マルクス主義（の主流派）でさえ、自然科学には基本的に逆らわず、自らが最も自然科学の最新の知見に寄り添っていることをアピールしてきた――スターリン主義時代のソ連の正統マルクス主義では、「ブルジョワ擬似科学」批判が行われたが、これも自分こそは真の自然科学の擁護者だというアピールと見ることができよう。

それに対して、**構造主義／ポスト構造主義の影響を受けたフランス系の哲学には、自然科学の拠って立つ基盤を歴史学的・社会科学的に問い直す議論の系譜がある。**フーコーは『狂気の歴史』や『臨床医学の誕生』などで、近代医学・精神医学の制度的枠組みや言説の体系が、医師、患者、病院、政府、裁判所、教会、資本など様々のアクターの間の権力関係や、人間の「正常な生」に対する人々のまなざしとどのように絡み合いながら形成されてきたかを明らかにした。『言葉と物』では、古典主義的エピステーメー（知の地平）から近代的それへの移行期に登場した「生命」を対象とする生物学、「労働」を対象とする経済学、「言語」を対象とする言語学の三つのディシプリンのコラボによって、「人間」という統合的な概念が形成されたことを明らかにしている。つまり、生物学や医学は、歴史学や文献学、哲学、社会学などの他の知の領域と全く無関係に生まれきたわけではなく、近代的エピステーメーの中で相互依存関係にあったわけである。

このような知の歴史性・権力性を重んじるフーコー的な問題意識に、自然科学や数学に準ずる概念の論理的厳密性にこだわり、そのため歴史や力、文化、無意識といった要素を切り捨ててきた分析哲学者たちはあまり反応していないが、カナダの科学哲学者イアン・ハッキング（一九三六〜二〇二三）のように、近代社会が直面した偶然性／蓋然性をめぐる問題を処理するために統計学が生まれてきた過程や、観察―実験―理論の関係の多様性とそれに対する科学基礎論の関わりを研究する人もいないわけではない。しかし、自然科学の〝客観性〟を正面から疑問視する体系的でラディカルな議論を展開しているのは、分析哲学の〝外〟で、その問題設定に囚われず発言している、フランスの科学社会学者**ラトゥール**（一九四七〜二〇二二）であろう。

ラトゥールは『科学が作られているとき』（一九八九）、『科学論の実在――パンドラの希望』（二〇〇一）などの著作で、実験室で実際にどのような過程を経て実験の構想が作られ、実行され、その結果が論文にまとめられ、専門的なジャーナルに載せられ、科学的事実になるのかを具体的に分析し、そこで働いている様々な力関係や慣習、真理をめぐる闘争の存在を明らかにしている。（多くの科学哲学者も含めて）素人は、科学のプロは客観的な証拠に基づいて研究しており、不正を働く者がいても、プロ同士の検証・反証によって淘汰されるだろう、と楽観的な見方をしがちである。しかしラトゥールは、裁判における証拠調べのプロセスと同じように、そのプロセスを取り仕切るプロがどういう教育を受け、何に関心を持ち、どう問題を処理したいのか――さらにはどういう人がプロとして認められ、どう関わるかによってかなり左右されることを構造的に明らかにしている。また、調査旅行などを通して〝データ〟を収集する際に、特定の分野の方法論に還元できない様々な実践的技術が動員されることには、未開社会を対象とする文化人類学が関心を持つような、複雑な物と人の関係の連鎖があることも示唆している。

中期以降のハイデガーは、近代的な「自然」概念があまりに人為的・科学主義的に切り詰められたことを指摘し、ソクラテス以前のギリシア哲学者たちの「自然（フュシス）physis」の概念を見直すべきことを提唱していた（これについては拙著『〈後期〉ハイデガー入門講義』［作品社］を参照）。ハイデガーのフュシス論は、通常は彼独自の「存在」論の一部としてハイデガー専門家にしか関心を持たれない傾向にあるが、フーコーやラトゥールの科学論とつながっているようにも思える。それは〝もう一つの（哲学的）自然主義〟と言えるかもしれない。

第 4 章

心の哲学

「心」はどこまで説明可能か？

「心の哲学」とは何か？

近年、「シンギュラリティ」問題に象徴されるＡＩ技術の急速な発展と日常生活への普及、神経生理学の最新の知見がメディアで頻繁に取り上げられていることが相まって、人間の「心」に対する関心が高まっている。情報処理のスピードと正確さ、生産工程の管理などに関してＡＩが人間を凌《りょう》駕《が》しているのはもはや動かしがたい事実だが、長期的な目標設定や自己の周辺環境の状況把握、情動とその理解……といった、最も人間らしいとされてきた「心」の働きまで、ＡＩは身につけることになるのだろうか。それとも、これらは機械では再現不可能な、人間固有の領域だろうか。こうした問題に取り組んでいるのが、分析哲学の「**心の哲学** philosophy of mind」と呼ばれる分野である。研究者の層が最も厚く、最も激しい論争が続いている。二〇世紀の終わり頃、日本の出版界でも話題になった「クオリア」は、この分野の最もポピュラーなテーマの一つである。

ただし、「心の哲学」は最近になって急に登場したわけではない。**デカルト以来の近代哲学の最重要問題の一つである「心」と「身体」の相関関係をめぐる、数世紀にもわたる議論の蓄積に基づいて発展した分野である。**デカルトは「精神」と（身体を含む）「物質」をそれぞれ異なった種類の「物」と見なしたうえで、両者がどのように影響を与え合っているか、つまり「精神」において意志したことが、異なった性質の物である身体をどのように動かすのか、その逆に「物質」である身体で起こったことがどうやって「精神」に伝わるのか、という問いを立てた。デカルト自身は、脳の中の「松果体《しょうかたい》」という器官で変換が行われていると主張した。

それ以降、両者の関係をどう考えるか、多くの哲学者によって様々なアイデアが呈示されてきた。「精神」と「身体」の双方は神によって創造され、前者が後者を支配するように定められているとするキリスト教的な見方、あるいは、その哲学的バリエーションである、神を介して「精神」と「物質」を関係づける見方(マールブランシュ)や、「精神」であれ「物質」であれ、全ては神であるとする見方(スピノザ)などがあるが、「精神」優位の見方は自然科学の発展と宗教の影響の低下に伴って次第に後退していった。

それに伴って、「精神」に独自の実体があるわけではなく、外部からの刺激によって身体に生じる化学的・生理学的な作用の連鎖として、〝精神〟〝意識〟〝自己〟などを説明しようとする唯物論的な見方が優勢になっていった。その元祖は社会契約論の創始者としても知られるホッブズである。

〝精神〟とは、身体を中心とした物質の運動が生み出しているイメージにすぎないのか。

あるいは、それがもともとは物質の運動に由来するものであったにしろ、一定の自律性を備えていて、〝精神〟の全てを、脳を中心とした物質の運動に〝翻訳〟して説明することが可能なのか。焦点はそうした点に移っていった。そこにＡＩの発達が相まって、ＡＩと〝意識〟を備えた人間の脳の働きはどう違うのか、そもそも人間の〝意識〟はどのように生成するか、といった問題も論じられるようになった。

「心の哲学」では、認知科学や心理学、生物学の成果を取り入れて、「心」を物理的に説明可能な現象として捉えようとする「物理主義 physicalism」の傾向が強い。ただ、「心」を構成する要素とされる意識、自己意識、感覚などをどう説明するかをめぐっては、物理主義者の間でも様々な戦略や方法論がある。

物理主義の元祖としてのラッセル

その物理主義者の元祖と言えるのが**ラッセル**である。『心の分析』（一九二一）でラッセルは、「心」と「物質」の双方がそれから構成されているところの、どちらにより近いとも言えない「中性的素材 neutral stuff」を想定し、それを起点に議論をすると宣言している。そのため心身問題に関するラッセルの議論は、「中立的一元論 neutral monism」とも呼ばれているが、実際には「心」を実体視する観念論的な哲学の批判に重点を置いており、物理主義的な傾向が強い。

この著作で彼は「心的現象 mental phenomena」とされているものを構成する「意識」「欲望」「感情」「記憶」「意味」「信念」などの諸要素を、概念分析にかけて再定義したうえで、「心的現象」の共通の特徴を明らかにすることを試みている。心的現象を科学的に研究する心理学も、物理学など自然科学の他の諸分野と同様に、主として感覚（sensation）から得られる「データ」をベースにしているが、その原因と見なされる物質的対象ではなく、それが我々（主観）の内で引き起こす作用に焦点を当てる点や、感覚に加えて、直接的には物質的性格を持たない「イメージ」をも「データ」にするところが異なる。その意味で、心的因果法則と物理的因果法則とイコールではないが、両者は密接に関係している。

ラッセルは、人間の記憶、習慣、思考は、他の生物にも見られる、過去に経験した出来事を現在のそれと結びつける「**ムネメ（想起）現象** mnemic phenomena」の発展したものと見ている。「ムネメ」とは、もともとドイツの生物学者リヒャルト・ゼーモン（一八五九〜一九一八）の用語である。これは神経組織など身体を構成する物質に書き込まれた過去の刺激の痕跡と、それに対応して生じる「想起」を意味する。ラッセルによって再定義されたムネメの法則は、「複合的刺激（complex stimulus）Aが生物に複合的反応（complex reaction）Bを引き起こした時、未来のある機会においてAの一部が起こることが、全体的反応Bを引き起こす傾向がある」、というものである。

具体的には、かつてある場所で危険な動物に遭遇して、必死で逃走したある動物が、その場所や動物、あるいはそれに似たものに遭遇した時、同じように必死で逃げ出す現象を念頭におけばいいだろう。こうした反応は知的にあまり発達していない動物にも見られる。彼は、「ムネメ現象」は神経組織における物理的因果作用によって生じるものと見ることができるかもしれないと示唆しているが、そう断言することは避けている。

ノイラートやカルナップと同様に、ラッセルもワトソンなどの心理学における行動主義を参照している。行動主義者と同様に、「内観 introspection」（自らの内面の観察）を軸として議論を進めようとする哲学的心理学に批判的な態度を取り、動物の行動を理解する場合と同様に、外的観察（external observation）を通して得られる「データ」に基づいて「心的出来事」を説明すべきだと主張する。ただし分析の細部ではワトソンたちとの意見の違いも示しているし、行動主義を自らが構想する「心の哲学」の基本原理であると明言しているわけではない。

デカルトの亡霊——「心」は物理法則に従わない？

哲学的行動主義とも言える立場を本格的に展開し、「心の哲学」における一連の物理主義的な議論が盛んになるきっかけを作ったのは、英国の哲学者で、オースティンと並んで日常言語学派の旗手と目されたギルバート・ライル（一九〇〇～七六）の著作『心の概念』（一九四九）である。この著作でライルは、人間は「心」と「身体」を持ち、両者は異なった世界に属しているという近代哲学の前提を「デカルトの神話 Cartesian myth」と呼ぶ。この神話に囚われている人は、物理的因果法則に従って動く身体という機械の中に、「心」という別の実体が乗り込んでいて、操作しているかのように語りたがる。それを彼は「機械の中の幽霊のドグマ the dogma of the Ghost in the Machine」と呼び、これが生じるのは、カテゴリー・ミステークによると主張する。

私たちは日常的に、「〇〇が頭の中を駆けめぐる」とか「△△を解くために頭を絞る」といった言い方をする。その言い方に引きずられて、我々にはあたかも脳などの体の奥まったところ、外から見えないところで、何か不可視の作用が進行しているかのような錯覚が生じる。しかし、デカルト的二元論の前提からすると、「心」が身体の中のどこかの空間に位置するというのは矛盾である。

ガリレオの地動説などによって自然科学が発展し、機械的な自然観が拡がった時代に、数学者・物理学者・生物学者として自らもその発展に寄与したデカルトだったが、彼は神を信じる宗教人でもあった。宗教人としての彼は、神と人間とをつなぐ精神（霊）的世界を否定することはできなかった。人間を他の物体と同様の、物理法則に従うただの機械と見なすことは「精神」の領域の否定につながる。そこでデカルトが考えついた妥協策が、**心身二元論**である。「心」は物理法則には従わない、したがって機械ではない。

しかし、（神の霊に通じる）「心」は、その本性からして「理知的」なはずであり、無法則で恣意的に動いているはずはない。かつ、「心」は何らかの形で——おそらく松果体のようなものを媒介にして——身体に影響を与えているはずだ。そこで、デカルトとその後継者たちは、機械的な自然法則、因果律とは異なるが、それと「心」は何らかの形で関係していて、知的に理解可能な法則、別の因果法則に従っていると想定し、その法則を探究せざるを得なくなった。それが「機械の中の幽霊」の正体だとライルは見る。**この哲学的ドグマが、「心」に関連する、（西欧人の）日常的な言語実践と結びつき、「心」の世界が物理的な世界とは別個に存在するかのような幻想を支えてきた、**というわけだ。

私たちが「頭の中」で不可視の形で起こっていると思っているものは、実際には、その人物の身体的な動作に現れる、「利口な／愚鈍な」とか「慎重な／間抜けな」とかいった（「心」に関わるとされる）形容詞で修飾可能な、一連の傾向性（disposition）、もしくはその複合体である。それらは、一つの対象や出来事のようにその所在を確定することはできないが、そうした傾向を推測させる外的な現れがないわけではない。その人の行動を観察したり、真似してみたり、コミュニケーションすることを通して、他人もその人物の「頭の中」で生じていることを理解することができる。「理解する」というのは、本人と同じ思考過程を「頭の中」でそのまま再現することではない。「チェスをする人」のやっていることを理解するのは、自分もチェスをできるようになること、あるいは、試合の観戦者として、チェスをやっている人の打つ手がゲームの展開上どういう意味を持っているか読めるようになること、つまり主として〈know-how〉の問題であって、チェスのプレイヤーに特有な論理的思考過程のようなものを、自分の「中」で構築することではない。

暗算することや、声を出さないで本を読むことは、「頭の中」で起こっている「心的行為」と見られがちだが、これらと筆算や声を出しての朗読に決定的な差があるとは考えられない。声や手を使って可視的にやっていた操作を、それらを使わないでできるようになったにすぎないし、「頭の中」での操作と平行して、そうした身体的な運動の痕跡が観察できることもある。「頭の中」に言葉や文が〝自然に〟浮かんできても、それらは必ずしも論理的に構成されているわけではなく、〝思考〟とは言えない、単なる羅列にすぎないこともある。

そうした意味で、デカルト主義者の〝公共的（public）な性格を持つ物理的出来事に対して、「心的行為」は「私秘的 private」である〟という想定に明確な根拠はない。身体に明確な兆候が出ない傾向性については本人でないと感知できないのは確かだが、本人でも自分の「動機」や「気分」に関して勘違いすることや気づかないことがあるし、自分のことであるがゆえにバイアスがかかっていることもある。**自己の「内」と「外」を絶対的に区別して、前者を探究する「内観」を特権化することはできない。**私たちは、自分たちの行動の一定の傾向性を表現するために、「頭」や「心」「内／外」といった比喩的な言い回しを使っているにすぎない。デカルト主義の哲学者たちがそれを不当に拡大解釈して、擬似問題を作り出してきたのである。

ラッセルが生物学や心理学の知見に依拠しながら議論を進めているのに対し、ライルは「私は～ということを意識した I was conscious that…」「私は～を望む I want…」「それが〜であるかのように見えるIt looks as if…」といった、「心」に関係する（英語の）日常的な表現を分析することを通して、これらを行動主義的に理解することに不都合はないことを示してみせる。彼の主な関心は、日常言語における「心」の扱われ方、およびそれとの「心の哲学」の言葉のズレである。彼は人間に固有とされている行動や反応を因果的に説明し、「機械の中の幽霊」を完全に追放するための方法論が必要であると主張するが、それが心理学の専売特許とは考えず、むしろ経済学、社会学、人類学、犯罪学、言語学（＋哲学）などが、共通の問題意識の下で取り組むべき課題であるとも主張する。彼は行動主義心理学が「デカルトの亡霊」を追い込むことに貢献していることを評価する一方で、行動主義の心理学者たちがあまりに人間機械論的な方向に走っていることに苦言を呈している。

「心」や「意識」があるかないかの境界線はかなり曖昧である

ギルバート・ライルが『心の概念』を発表した四年後、著者ウィトゲンシュタインの死後出版された『哲学探究』でも、同様の問題提起が成されている。私たちは、他人には間接的に観察することしかできず、本来の意味では本人にしか認識できない「心的プロセス」

があるものと考えがちだが、ウィトゲンシュタインに言わせれば、それは言語ゲームの規則の問題にすぎない。哲学者は「彼は痛みを感じている」と「彼が痛みを感じている、と私は信じる」という二つの文は、全く意味が異なると考える。しかし、ウィトゲンシュタインによれば、それはどういうルールの言語ゲームを行うかの問題であって、両者の間に絶対的な違いはない。この場合は「〜は痛みを感じている」を、第三者が報告する時にはどのような構文を使うべきか、というルールである。

私たちは言語を学ぶ過程で、人がある一定のパターンで振る舞っていることや、ある表情をしたり、ある姿勢を取ったりすることを、「〜は痛みを感じている」と表現すべきことを学ぶ。各人の「内 Innen」で何が生じているのかを確かめたわけではない。心や内面に関する言語も含めて、言語は公共的なゲームとして機能するものであって、自分にだけ通じる「私的言語 private Sprache」は存在しない。

ウィトゲンシュタインはライル以上に、心理学的問題に立ち入ることなく、言語の使用という面から「心」の問題を考えるという方針に徹しており、心理学的行動主義とははっきり距離を取っているが、「心」の問題をお互いの振る舞いの評価をめぐる相互作用と考えることを「行動主義」と呼ぶとすれば、彼のスタンスは極めて行動主義的である。

ところでウィトゲンシュタインは、この問題との関連で、私たちの周囲の人が、いつの間にか「ロボット Automat」になっていて、外的な行動様式（Handlungsweise）に変化はないが、意識（Bewußtsein）はなくなっている状況を想像してみよう、と示唆する。先に述べたように、「ロボットが意識を持つ可能性」の有無は、現代の「心の哲学」の一連のホットな論争の核になっている問題である。彼はこの問題に直接答えようとはしない。彼はその問いが、どのように受けとめられるかに関心を向けている。

部屋で一人仕事をしているような時に、そういうことを想像すると、非常に無気味な感じがするだろう。しかし、普通の往来で「そこの子供たちはロボット（Automat）にすぎない。生きているみたいだけれど、自動的に反応している（automatisch）だけだ」と言われても、ほとんど何も感じることはない。あるいは、少しだけ無気味な感じがする程度だろう。

ウィトゲンシュタイン自身はこのシミュレーションの意味するところを説明していないが、文脈的にこれが含意することは明らかだろう。相手との間に一定の距離が確保されていて、自分との間にあまり接点がないと分かっていれば、「内面」における「意識」の有無はさほど気にならないし、行動に影響を与えないということである。自分の身近にいて、直接相手にしなければならないかもしれない相手だと、〝自分と同じような心〟を持った存在なのか――普段ほとんど気にならないことが――気になってくる。そう考えると、私たちの日常的行為や生活感覚において「心」や「意識」があるかないかの境界線はかなり曖昧である。

チューリングが再浮上させた一大問題

これと同じような問題を検討したのが、英国の数学者・論理学者で、コンピューター科学の先駆者の一人である**チューリング**（一九一二～五四）である。彼は論文「計算する機械と知性」（一九五〇）で、有名な「チューリング・テスト」を考案している。チューリング・テストとは、プレイヤーが、壁で隔てられているコンピューターに対して一連の質問をし、その答えから相手が人間か機械かを判別できなかったら、そのコンピューターは人間が考えているのと同じように「考える」ことができると認めるというものである。

この論文でチューリングは、神学的反論、数学的反論など、いくつかの予想される反論について検討しているが、哲学的に最も興味深く、後の「心の哲学」においても重要な意味を持つのは、「意識 consciousness」という側面からの反論である。

チューリングは、神経学者ジェフリー・ジェファソン（一八八六～一九六一）の一九四九年の講演「機械人間の心」の一節を参照している。ジェファソンによると、文章を書くだけでなく、自分が書いていると知っていること、そして、自分の成功に喜び、失敗を嘆き、お世辞にいい気になるといったことがない限り、その機械は人間のように考えている、とは言えない。つまり、「自分が考えていると感じる feel oneself thinking」機械であることが必要というわけだ。

当然の疑問だが、これに対してチューリングは、自分の頭の中だけで独我論的に考えるだけならば、普通の人間についても、その人が「考えている」あるいは「感じている」と確信できるのは本人だけであり、他人は推測するしかない。その点は、機械を相手にする場合と違わないと指摘する。現実的な解決策として、「自分が考えていると感じている」かを確かめるためのチューリング・テストを考えればいいと提案し、有効になりそうな質問の仕方を例示している。

これはすれ違ったやりとりのように見えるが、こうした行動主義的—コンピューター科学的な視点からの素朴な応答を通して、**「私は『私が意識を持っている（あるいは考えている）』ことをどのようにして知っているのか、本当に知っていると言えるのか」という根本的な問いが再浮上してくる。**デカルトが積み残しにし、後期フッサールや初期ハイデガーがこだわった問いだ。人間の「意識」には、単に「意識があるらしく見える」という以上の実体があるのか？　これをめぐって、サールvs.デネットの論争が繰り広げられることになる。これについては本章の後半で詳述しよう。

物理主義の諸戦略1――タイプ同一説vs.トークン同一説

一九五〇年代以降、様々な物理主義の議論が台頭する。

最初に登場するのは「**タイプ同一説** type identity theory」と呼ばれるものである。オーストラリアの哲学者**J・J・C・スマート**（一九二〇～二〇一二）と英国の哲学者**ユリン・プレイス**（一九二四～二〇〇〇）、ウィーン学団のメンバーで後にアメリカに移住した**ハーバート・ファイグル**（一九〇二～八八）などが提唱者とされる。

スマートは「感覚と脳のプロセス」（一九五九）で、『哲学探究』でのウィトゲンシュタインの行動主義的議論を純粋物理主義的に解釈したうえでこれを継承し、「人間は、物理的粒子の広範な配置（arrangement）であり、その上に、あるいはそれを超えたところに、感覚（sensation）あるいは意識の状態（state of consciousness）があるわけではない」と明言する。その「感覚」あるいは「意識の状態」とは、脳内の一定のプロセスと同一視されるべきであり、両者が相関関係にあるわけではない。いかなるものも自分自身と関わりを持つことはできないからである。

プレイスは、「意識は脳のプロセスか」（一九五六）で、ウィトゲンシュタインやライルの行動主義的な議論に基本的には賛成しながらも、彼らの理論には、意識、経験、感覚、心像（mental imagery）など、内的プロセスのストーリーの残滓《ざんし》のような概念があり、そこに不満があるとしている。彼はそうした残滓を一層すべく、「**意識は脳内プロセスである**」というテーゼを立てて、それに対して予想される異論に反駁することを試みている。

この文に引っかかり、「意識」と「脳」は違う存在領域に属するのに、無理に「である」と結びつけているのではないか、という二元論的な意見を述べたくなる人は少なくないだろう。しかしそれは、「である is」を定義と考えているからである。この場合の「である」は、「電子は電荷の運動である」という場合の「である」のように、「構成（組成）composition」を意味する。脳内に一定のプロセスが生じる時に限って、「意識」が生じることが生理学的に確認できれば、このテーゼは証明されたことになる。

哲学者の中には、「〜のように見える」とか「〜と感じられる」というような文で表される経験は、「内観」でしか捉えられないと考えている人が少なくない。しかし彼に言わせれば、我々は外的に観察できる現象に関してこうした文を使うことを学んだ後で、それを「意識」の記述に転用したのであって、その逆ではない。「～は緑に見える」と言う時の「緑」のイメージは、物理的に実在する事物である。私たちは物理的な対象になぞらえる形でしか、「意識」の中のイメージについて語ることはできない。

ファイグルは論文「『心的なもの』と『物理的なもの』」（一九五八、六七：邦訳タイトル『こころともの』）で、心身二元論の前提になってきた「心的なもの the mental」と「物理的なもの the physical」に関連する従来の哲学的な語彙を整理し、さらに「同一性」の意味についても検討したうえで、「生の感覚 raw feels」と「神経プロセス neural processes」は経験的に同一であると主張している。「生の感覚」というのは、文字通り、何かを感じたという、言語化される以前の素朴な感覚である。刺激と反応の条件によって、「生の感覚」の「残像 after-image」を有していると証明できる全ての人が、何らかの種類の脳内の神経生理学的プロセスをも有していて、その逆も真であるならば、両者は同一である、ということになる。現時点では、実験の精度ゆえの不確かさや不正確さがあり、二つの領域の等価性は蓋然的なものでしかないが、実験の精度が上がっていけば、同一性が証明される可能性はある、と示唆している。

プレイスが後に整理しているところによると、こうした「意識」と「脳内プロセス」を同一視する見方は、すでに古代ギリシアの医学者ヒポクラテスや、ローマの詩人哲学者ルクレティウスに見られ、近代初期になってホッブズやガッサンディによって改めて提唱されている。だが、現代の心理学の成果を踏まえての最初の理論化が試みられたのは、アメリカの心理学者で、『妻と義母』の隠し絵による知覚実験で有名なエドウィン・ボーリング（一八八六～一九六八）の『意識の物理的次元』（一九三三）においてであった。ボーリングは、意識を身体内での感覚やイメージを相互に関係づける作用として捉えたうえで、「意識」の場所は、感覚やイメージの識別が行われ、学習が成される脳だと主張する。「内観」も、感覚やイメージを弁別する意識の作用だとすれば、異なった神経経路の間の選択に還元できる、という。

プレイスたちのように、意識と脳内のプロセスをストレートに結びつける同一説は、その後、先に述べたように「タイプ同一説」と呼ばれるようになった。タイプAに属する心的出来事が、タイプXに属する脳内の出来事と同一であると主張するからである。例えば、「心的な痛み」が脳内のあるタイプの神経線維の発火と同一である、というような考え方である。

これに対して、**「トークン同一説** token identity theory」と呼ばれる見解がある。分析哲学の用語としてしばしば見かける「タイプ／トークン」の区別は、プラグマティズムの哲学者パース（一八三九〜一九一四）に由来する。「タイプ」がある集合に属するもの全体を指すのに対し、「トークン」は個別事例を指す。「この机は○○円である」と言う場合の「この机」は、ある規格、型に従って作られた机一般（タイプ）を指す場合も、話者の目の前にあるこの机（トークン）を指す場合もある。同じ個体に関しても、例えば「彼はうるさい」と言う時、彼の振る舞い全般を指す場合も、今現在の彼の振る舞いを指す場合もある。

「心」と「脳」の関係で言えば、**「心的な痛み」の特定のタイプと、脳内の特定の部位の神経線維の発火一般が同一だとするのが「タイプ同一説」だとすれば、ある瞬間における「心的な痛み」と、その瞬間における、その人物の身体に生じた物理的出来事の同一性に注目するのが、「トークン同一説」である。**

純粋な「心的出来事」はない？

「トークン同一説」の代表的な論者とされるのが、**デイヴィッドソン**（一九一七〜二〇〇三）である。彼自身は「トークン」という言葉を使っていないが、論文「心的出来事」（一九七

○）で、これに相当する「非法則的一元論 anomalous monism」を展開している。彼によれば、心的出来事と物理的出来事の間に、両者を対応させる厳格な法則はない。一つのクラス（集合）＝タイプとして見た心的出来事は、物理的科学によっては説明不可能である。なぜかと言えば、（一見すると物理法則によって直接支配されていないように見える）「自由な行為」を説明する時、我々はそれを欲求、習慣、知識、知覚など、他の心的な出来事や状態を援用するが、その組み合わせやそれぞれの関与の度合いは、ケースごとに違うからである。例えば、「哲学の本を読む」という行為を説明する時、何だか分からないが知的好奇心が湧いてきたとか、先生に読むように指示された、そういうものを読むのが知的だと思った、友人と話を合わせたかった、習慣だった、別に哲学でなくても何か活字を読みたかった、何かの脅迫観念に襲われた……など、様々な要因が関わっている可能性がある。

心的出来事のこうした輪郭の不確定性のため、それを一つのタイプにまとめて、物理的出来事のあるタイプに還元することはできない。しかし、個別の心的出来事について、それがどういう性質のものかを確定的に記述することができるとすれば、それを個々の物理的出来事、例えば、脳の特定の領域の一連の作用の連鎖に還元することは可能である。デイヴィッドソンは、還元の法則化を否定する一方で、あらゆる物理的側面において類似しているにも関わらず、心的側面において異なっている二つの出来事は存在し得ず、いかなる対象も物理的側面において変化することなしに心的側面において変化することはできない、と主張する。分かりやすく単純化して言うと、**物理的出来事を抜きにした純粋な心的出来事はない**、ということである。

こうした、心的特徴の物理的特徴への依存を、デイヴィッドソンは「**付随性** supervenience」と呼ぶ。「心の哲学」関係の書籍で、しばしば「スーパーヴィーニエンス」とカタカナ表記されているのは、このことである。カタカナで表記されることが多いのは、「付随性」だと、この言葉の基になったラテン語の動詞〈supervenire〉の「上に super」＋「来る venire」のニュアンスが出せず、かつ、単なる「随伴現象 epiphenomena」との違いが曖昧になるからだろう――「心の哲学」における「随伴現象」説は、心的なものは物理的なものの運動の副産物であり、前者から後者への影響はないと認める一方で、前者の自立性を主張する、二元論の一種である。

この意味での「付随性」をめぐっては、韓国出身のアメリカの哲学者**ジェグォン・キム**（一九三四～二〇一九）が、『付随性と心』（一九九三）や『物理世界のなかの心』（一九九八）などの著作で詳細な議論を展開している。「付随する」とはそもそもどういうことか、言葉の印象だけで分かった気にならないで、改めて論理的に突き詰めて考えることで、「心的出来事」と「物理的出来事」の関係を考える基礎にしようとしたわけである。彼はデイヴィッドソンの言う「付随性」が、①共変化②依存性③還元不可能性の三つの要素を含んでいることを指摘したうえで、それらがどういうことを意味し得るか、「心―脳」問題をいったん離れて、自然科学の様々な領域の事例に即して検討している。

そのうえでキムは、デイヴィッドソンは心的出来事を物理的出来事に厳密な意味で「還元」することの不可能性を強調しているが、彼の想定するような「還元」は実際にはどれだけ精密化した科学の領域でもほとんど不可能で非現実であると批判している。「還元」を狭い意味にとって、非法則性を強調するのではなく、当面は部分的・個別的でもいいから、心的なものが物理的なものに「付随」してくる根拠を明らかにすべきである。そうでないと「物理主義」ではなくなってしまう。それがキムのスタンスだ。論文「心理物理的諸法則」（一九八五）では、デイヴィッドソンが非法則的一元論の主張によって、「物理主義」を骨抜きにしているのは、人間の自由（道徳法則）と、自然の必然性（因果法則）を調停しようとしたカント的な二元論の影響を受けているためではないかと示唆している。

そのようにかなり正統物理主義的な態度を取っていたキムだが、『物理主義、あるいはそれに十分近い何か』(二〇〇五)では一転して、心的なものを全面的に物理的なものに還元することは不可能である、と明言する。キムが還元できないとしているのは、意識の不可欠な構成要素としての「クオリア(感覚の質)qualia」だ。「クオリア」とは、個々の対象を認識する際に意識に生じる感覚の質的変化のことであり、対象についての客観的情報に置き換えられないとされる。「クオリア」が還元できないということは、将来生理学や認知科学が発達しても、「心的なもの」の一部は残存し続けるということだ。「物理主義」の弱点を認めるキムは、自らの立場を「欠陥のある物理主義 defective physicalism」と呼んでいる。ちなみに、キムが「心の哲学」の入門書として書いた『心の哲学』(一九九六)初版の末尾でも、「クオリア」の問題の扱いが困難であることを認めつつも、これに挑戦していきたいという一応前向きな姿勢で締め括っているが、第二版(二〇〇六)、第三版(二〇一一)では、これが「物理主義の限界」であると告白している。

物理主義の諸戦略2——機能主義

「タイプ同一説vs.トークン同一説」の問題に、心—脳の一義的な還元法則があるのかを突き詰めて考えるのとは異なった形のアプローチとして、「**多重実現可能性 multiple realiz-**

ability」論と呼ばれるものがある。この議論の先鞭をつけたのはパトナムである。

論文「脳と行動」（一九六〇）でパトナムは、「痛み」を例にとって論点を示している。私たちが「痛み」と呼んでいるのは、「痛い！」と叫ぶとか、ある特定の表情をするとか、一定の仕草をするとか、「痛み」を感じているとされる人をめぐる様々な現象のクラスター（集合）に対する名称である。そうしたライル的な発想に対して、タイプ同一説論者は、「痛み」とは脳内の神経細胞の発火によってV波があることが判明すれば、V波の発生＝「痛み」だと主張するかもしれない。そこでパトナムは、人間（地球人）と同じような外見、行動パターンを持っているけれど、体を構成する物質が微妙に異なる、双子宇宙のX星人を想像するよう提案する。X星人が、我々には「痛み」を感じているようにしか見えない反応をしている時、その脳に当たる器官でも発火が起こり、W波が発生しているとする。それは「痛み」ではないと言うのだろうか？

論文「心と機械」（一九六〇）、「ロボット：機械それとも人工的に創造された生命？」（一九六四）、「いくつかの機械の心的生活」（一九六七）など、ロボットに関する一連の論文で、パトナムはこの論法を、「ロボットは心を持てるか」問題に応用した。チューリング・テストにパスする人工知能は、人間と同様に「意識を有している」と見なすべきではないかと示唆したのである。「いくつかの機械の心的生活」では、心―脳の同一説をめぐる論争で見過されがちな要素として、「機能的組織 functional organization」という概念を指摘している。これは、特定の「機能」を担う物理的な組織構造ということである。我々と異なる物理的組織構造を持つ生命体、例えば、主として珪素《けいそ》から成る〝生命体〟（地球の生物と同じように振る舞う生物）が他の世界に存在し、その一部が〝意識〟や〝心〟に相当する「機能」も持っているとすれば、従来の意味での〝脳内プロセス〟と、「意識」を同一視する議論は根拠が揺らぐし、ロボットが「心」を持つようになってもおかしくない。

　このように「機能」に注目する点で、パトナムの議論は「**機能主義** functionalism」とも呼ばれる。論文「心的諸状態の性質」（一九六七）は、「痛み」を「脳の状態」とするタイプ同一説的な見解や、「行動傾向 behavior-disposition」とする行動主義的な見解と対比して、「機能的状態 functional state」として見る自らの見解の方が「痛み」という現象をより的確に捉えられると主張している。

　ただし、『表象と実在』（一九八八）では、自らの「機能主義」を自己批判し、修正を加えている。この変化は、「実在」に対するパトナムの捉え方の変化と連動しているが、これに踏み込むと煩瑣《はんさ》になるので、本書では省略する――この点についてのパトナム自身の説明は、『心・身体・世界』（一九九九、二〇〇五）で与えられている。修正は主として、「信じる」「知る」「願う」などの動詞によって表現される「命題的態度 propositional attitude」、あるいはそこに現れる概念は、「機能的状態」に還元できるかという点に関わる。

例えば、「私は一匹のネコがマットの上にいる、と信じている」という場合の「ネコ」という概念は、私たちの脳の一定の部位とか、人工知能のメモリーなどに記憶されている。そう私たちは考えがちだ。しかし、私が「ネコ」だと思ってそう呼んでいるものと、あなたのそれとは本当に同じだろうか。「ネコ」のイメージがズレている可能性があるし、私が「ネコ」という言葉に特別の感情を抱いたり、先入観を持ったりしているのに対し、あなたはそうではないかもしれない。「ネコ」の意味がズレていれば、脳の状態も微妙に違いそうだ。母語や文化的背景が違ったり、ある人にとっては身近だが他の人には馴染みのない対象に関わる場合、そうしたギャップは大きくなる。「私は一匹のネコがマットの上にいる」という同じ文で表現されるAさんの信念と、Bさんのそれが同一であるかは、脳の機能的状態だけからは分からない。それはAさんやBさんが置かれている「環境」に依存している。

コンピューターには何ができないか？

こうしたパトナムの新しい見解は、『理性・真理・歴史』（一九八一）で呈示された、有名な「水槽の中の脳 brain in a vat」論と関係している。「私はもしかすると、ある科学者によって取り出され、人工培養液入りの水槽の中で生かされている、脳だけの存在ではないのか」と考えてみる思考実験である。高度の機械によって刺激を与えられ、自分は身体を持って生きていると思い込んでいるだけではないか？　どうしてそうでないと言えるのか？　これに対するパトナムの「答え」は、ある意味、拍子抜けする。彼は、欺かれているかどうかの決め手については直接答えず、脳だけの自分を考えることは不可能だと主張するのである。

「外在的な対象」を、本来的な意味で「指示 refer」あるいは「表象 represent」するためには、その対象の概念やそれが使われている文を実際に「利用 use」できるのでなければならない。ある存在者を「ネコ」と呼び、「ネコ」が出てくる文を使えるようになるには、環境の中で「ネコ」と関わりを持ち、自分はこの語によってどのような性質の存在者を「指示」し、自己や他者に対して「表象」しようとしているのか、自分がこの語を発した時、他者がどう反応するかを学習しなければならない。脳だけの存在である私が、そういう意味で「ネコ」を「指示」し、「表象」できるような状況を考えることはできない。こうした実際の言葉の「利用」を重視する見方を、パトナムはウィトゲンシュタインの『哲学探究』から学んだという。この時点でのパトナムは、「機能主義」を完全に放棄していなかったが、すでに疑問を表明してはいる。

これと同じように、環境の中で概念を使用する能力に焦点を当てる議論を、ドレイファスも『コンピューターには何ができないか』(一九七二)で展開している。タイトルから分かるように、ドレイファスは自らの身体を持って世界と関わることのないAIの限界を指摘している。彼は、人間の知的振る舞いが生活形式や言語使用と結びついているとする後期ウィトゲンシュタインの議論や、「世界内存在 In-der-Welt-sein」としての現存在(人間)の周囲の事物や他の人間に対する関わりをめぐるハイデガーの議論を援用して、「世界」における「実践的活動」の「文脈」が、人間の知を支えていることを指摘する(ハイデガーの「世界内存在論」については拙著『ハイデガー哲学入門』〔講談社現代新書〕を参照)。常に何らかの「状況」に置かれている人間と違って、**コンピューターは「状況」の中にはなく、環境の中で自己を方向づけることはないのである。**

「心」のモジュール性

話を「機能主義」に戻そう。七〇年代前半にパトナムの線に従って、機能主義的な発想に基づく「多重実現可能性」の意味するところを厳密にすることを試みていた、アメリカの哲学者ジェリー・フォーダー（一九三五〜二〇一七）は、『精神のモジュール性』（一九八三、八五：邦訳タイトル『精神のモジュール形式』）で、人間の「心」を、様々な種類の機能単子（モジュール）から成る情報処理機構で進行するプロセスとして捉える。周知のように「モジュール」とは、コンピューターなどの複雑な機械を構成する基本的ユニットであり、標準的規格に合っているので、特定の機械だけではなく、同種の他の機械にも転用できるものを言う。コンピューターでは、各モジュールでの処理が連鎖することによって情報処理が可能になるわけだが、人間の脳で同じように各モジュールを動員して行われる一連の情報処理プロセスこそ「心」と見るわけである。

フォーダーは、「心」をチューリング・マシンとのアナロジーで考えるよう促す。チューリング・マシンは、テープ、スキャナー、印刷機などの少数のサブシステムと、それらによって実行される、止まる、始める、テープを読む、状態を変える、印字するなどの基本動作から成るだろう。チューリング・マシンの場合、どのような計算が行われるかあらかじめプログラムによって決まっているが、生物の場合、環境と相互作用し、情報を交換している。したがって、人間の心理構造を、チューリング・マシンをモデルに考える場合、環境の変化に応じて入力された情報を処理し、中央処理装置（現代的な言い方をすればCPU）に供給する補助システム＝モジュールを想定する必要がある。各モジュールで情報処理の対象になるのは、「心的表象 mental representation」であり、それを「変形 transformation」して、行動に繋げる一連のプロセスが「心」だということになるだろう。

外界から入った情報を、CPUが処理するのに適当な形の情報へと変形するのが、知覚と言語から成る「入力系 input system」である。入力系のモジュールは、特定の情報に対して特定の表象を与えるよう選択的に作用する。「中央系 central system」は、入力系から受け取る情報と、記憶装置に蓄えられている情報に基づいて、世界のあり方について最良の仮説を立てる、つまり「信念 belief」を形成し、固定化する。これらの「信念」がバラバラではなく、一貫性を保つよう「枠」で囲まなければならない。これは人工知能研究で「**枠問題** frame problem」と呼ばれるものである。例えば、ある女性に電話をかけて彼女が夕食に来られるかどうかを確認するという課題が与えられた場合、どのようにして彼女の電話番号を調べるか。検索でヒットした番号が間違っていたら、どうするか。どのように質問するか。答えがイエス／ノーでない場合、どう質問を変えるか、といった対応の仕方を決める必要がある。場合によっては信念を変更する——記憶された情報を書き換える——必要もある。

フォーダーは「中央系」の場合、「入力系」の場合ほど各モジュールが分化しておらず、信念体系全体を巻き込んだ、作用領域を限定しない処理が行われているという見方も成り立つことを認めているが、最終的な答えは、認知科学の発展によって与えられるだろうとしている。

「入力系」に限定してモジュール性を主張するフォーダーの議論は、中途半端な印象を与えるが、彼の問題提起を機に、「心」のモジュール性をめぐって、かなり細かい点に立ち入った論争が行われており、「心」全体をモジュールとして捉える議論も登場している。いずれにしても「心」の本質が、入力系において産出される「表象」を一定の手順に従って変形する機構だとすれば、それをＡＩで再現することは不可能ではなかろう。

機能主義にはこの他、様相論理学を用いた可能世界論で知られる**デイヴィッド・ルイス**（一九四一～二〇〇一）などの「分析的機能主義 analytical functionalism」と呼ばれるものがある。これは心的出来事の実体を特定したうえで、それを身体器官の活動に還元するのではなく、心的出来事を表現する文の論理的ステータスを分析して、物理的な出来事と機能的に関係づけることができるかを、論理学的に問題にするものである。論文「同一論を擁護する論拠」（一九六六）では、心的な経験が、物理的因果関係において果たす役割を同定できれば、同一性が証明できるという立場を表明し、「心理物理的、および理論的同一化」（一九七二）では、心的状態を表す命題が論理学的に、因果関係を表す命題に置換できるか検討している。オーストラリアの哲学者**デイヴィッド・マレット・アームストロング**（一九二六～二〇一四）は、『心の唯物論的哲学』（一九六八）で、意志、知識、知覚、信念などの心的状態を表す概念は、物理的な因果の連鎖の一部を成すものへと、論理的に矛盾なく翻訳できることを体系的に示している。

物理主義の諸戦略3——消去的唯物論

物理主義にはもう一つ、「**消去的唯物論** eliminative materialism」と呼ばれる有力なアプローチがある。

心的出来事の物理的出来事への還元が問題になるのは、そもそも心的出来事を記述するために使用されてきた既存の民間心理学的な言語が、私たちの生の経験に根ざしているので、それらを物理主義的な言語に翻訳しなければならない、という前提に立っているからだ。消去的唯物論は、その前提に根拠はあるのか、という疑問から出発する立場であり、不正確な記述にすぎないのであれば、翻訳など試みず単に廃棄すべき、というラディカルな立場である。そのアプローチからすれば、哲学的心理学やタイプ同一説は無駄な努力をしていることになる。

その出発点になったのは、オーストリア出身の科学哲学者で、近代合理主義の諸前提に反対するアナーキストを自称するファイアーアーベント（一九二四〜九四）の二つの論文、「唯物論と心―身問題」（一九六三）と、ジェローム・シャファー（一九二九〜二〇一六）の論文「心的出来事と脳」（一九六三）に対する短いコメント論文（一九六三）である。前者でファイアーアーベントは、人間の心的出来事に関する基本的な観察文とされるもの、例えば「私は痛みを覚えている I am in pain.」を他人が理解するには「解釈 interpretation」が必要であるが、「解釈」は元の意味をドラスティックに変質させてしまう、と主張する。哲学者がこうした文に慣れ親しんでいるつもりで分析しているとすれば、幻想である。そのうえで、いずれにしても「解釈」が入るのなら、唯物論的な解釈を排除する理由はないと主張する。後者では、心的出来事とされるものも含めて、観察の結果は、何らかの「理論的背景」

から定式化しなければならないが、物理主義者を自認するものであれば、従来の心身二元論的な言葉遣いに縛られて、無理に物理主義的な言語に翻訳しようとしたりせず、ストレートに自らの背景理論に基づいて定式化すべきだと主張する。

その少し後に、ローティが論文「心 - 身同一性、私秘性、諸カテゴリー」（一九六五）で同趣旨の議論をしている。「感覚」「痛み」「心象」といった心的出来事の「観察用語 observation-term」は、伝統的に使われてきて慣れ親しまれているがゆえに、私たちは自分が感じている刺激を報告する時に、それらを使うのが当たり前であるかのように考えがちだが、それは言語的実践ゆえの慣れの問題であって、それ以上の根拠はない。ウィトゲンシュタインが『哲学探究』で指摘しているように、私たちはどういう状況であれば、どういう言葉を使うべきかを訓練され、慣らされてきたのである。「私は痛みを覚えている」の代わりに、自分の脳の神経線維の刺激という形で報告することが不適切とは言えない。観察用語と非観察用語の違いは、言語実践ごとに相対的である。内観的な報告は、外的に観察可能な事態と違って「私秘性 privacy」があるという予想される反論に対しては、〝内観的な報告〟をしている人が正しい言葉遣いをしているという根拠はない、と一蹴している。

それに続く論文「消去的唯物論を擁護して」（一九七〇）でローティは、先の論文に対するジェイムズ・コーンマン（一九二九〜七八）とリチャード・バーンスティン（一九三二〜）の批判に応えて、「消去的唯物論」を擁護している。ローティは、かつて悪魔に関連する表現によって痛みなどの心的出来事が説明されていたのが、現在ではそれがほぼ完全に消去されて、感覚による表現に置き換わっているが、それと同じように感覚による表現も置き換えられるのではないかと示唆している。両者はこの点にこだわって、悪魔による説明は特定の理論による負荷があるが、感覚による説明はそうではないと主張する。ローティに言わせれば、彼らは、「前言語的な所与性 prelinguistic givenness」のようなものがあって、それを表現するの「に適した adequate to」言葉があることを前提にしているが、それを判定する、言語を越えた基準などない。前言語的所与に対する気づき（awareness）などというのは、「物自体」のような形而上学的想定である。

バーンスティンは、ある理論の言語体系を他のものに置き換えるには、理論相互の橋渡しの手続きが必要なはずだが、ローティはそうした手続きを省き、「まるで何かのメタ言語かメタ理論のようなものに従っているかのようにラディカルな消去を断行している、マルクスが国家をめぐる既成の諸理論を用なしだと断定したのと同じ調子だ」と彼の基本姿勢を批判している。それに対してローティは、自分はメタ言語やメタ理論に訴えかけて唯物論を擁護しているわけではなく、異なった語彙を持つ理論同士の間での言語ゲームの勝敗という観点から、心的語彙の消去の可能性を考えているにすぎないと答えている。また、科学的実在論（scientific realism）に偏しているのではないかとのコーンマンの批判に対しては、自分は科学的実在論にコミットしているわけではなく、神経生理学の語彙を援用して、「所与の神話」を批判しているだけだと答えている。こうしたメタ理論的なものに距離を取る姿勢は、彼の『哲学と自然の鏡』での解釈学的なスタンスに通じていると言えよう。

消去的唯物論の再定式化——チャーチランド

ファイアーアーベントやローティは、このように心的出来事固有の語彙に固執する伝統的な哲学を批判するのに消去的唯物論の論法を取っている。一方で彼らは、科学的理性の普遍性や科学的実在論のようなものから距離を取り、科学的言語も言語ゲームの一つにすぎないという見方をしている。それに対し、科学的実在論にはっきりコミットして、「消去的唯物論」を再定式化したのが、アメリカの哲学者**ポール・チャーチランド**（一九四二〜）である。彼は『心の可塑性と実在論』（一九七九）、『意識と物質』、（一九八四）『神経コンピューター的パースペクティヴ』（一九八九）などの一連の著作で、消去的唯物論の基本的な戦略を示している。

彼はまず、心や自己をめぐる我々の常識的な概念枠組み（民間心理学）が、基礎的な経験に直接根ざしているわけではなく、一つの理論的枠組みである点を強調する。理論である以上、それよりも当該の事態をうまく説明できる、新たな語彙を備えた理論が登場すれば、置き換えられて当然である。新しい理論に置き換えるに際して、古い理論の語彙で説明されていた事態を新しい理論の語彙に翻訳し、後者を前者の中に収容しなければならないと考える人がいるが、ファイアーアーベントやローティと同様に彼も、そうした発想を拒絶する。物理学の教科書で、古典力学と相対性理論の相互翻訳のようなものを示しているものがあるが、それは双方をデフォルメして無理に対応させているにすぎない。物理学であれば無理をしていることが分かりやすいが、心的出来事を記述する理論の場合、そうした翻訳に伴う問題が忘れられ、古い語彙による思考を保存してしまうことになる。それが「心の哲学」の様々な見せかけの問題の温床になっている、という。

「赤い」と言う代わりに「0.63×10^{-6}mの電磁波を選択的に反射する」とか、「大きな音」を「振幅の大きい空気疎密波」、「すっぱい」を「水素イオンが高い相対濃度を持つ」などと表現するのを、私たちは異様に感じる。しかし、子供の時からそうした物理の理論に基づく表現を教えられて慣れ親しみ、それに従って周囲の事物をじっくり観察するようになれば、今まで利用していなかった感覚情報を有効に活用して、知覚のあり方を転換させることが可能である。心に関しても、痛みを脳内のC繊維の刺激として表現することを学べば、「内観」によってしか把握されないとされてきた部分も含めて、我々の自己認識がより洗練された様式へと変化していく可能性もある。チャーチランドはそう示唆する。

彼の妻で、カナダ出身のアメリカの哲学者**パトリシア・チャーチランド**（一九四三〜）も消去的唯物論者であり、計算論的神経学者セイノフスキー（一九四七〜）と共同研究して、その成果を共著『コンピューター的な脳』（一九九二）として出すなど、神経科学と哲学の本格的な接続に力を入れている。彼女は『神経哲学』（一九八六）などの著作で、哲学が神経科学の最新の知見に基づき、心に関する基本的な概念枠組みを変える必要があることと、そうやって刷新された哲学は神経科学に研究の方向性を与える概括的なヴィジョンを示すことができると主張している。近年は『ブレイントラスト』（二〇一一、二〇一三：邦訳タイトル『脳がつくる倫理』）などの著作で、人間の道徳的行動を神経生物学、進化生物学、文化人類学の知見に基づいて、主にホルモンの働きの影響という面から考察している。

物理主義への様々な批判

「心の哲学」には、物理主義に徹底的に反対する論者もいる。オーストラリアの哲学者**フランク・ジャクソン**（一九四三〜）は論文「随伴現象的クオリア」（一九八二）で、生まれた時から白黒の部屋で育てられたメアリーという色彩学者をめぐる有名な思考実験を行っている。

白黒のテレビモニターを介しての研究で、メアリーは自分の部屋の外で、赤とか青と呼ばれるものがどのような波長の光から成るか、それが人間の脳の神経線維にどういう刺激を与えた時に「赤」とか「青」の感覚（クオリア）が生じるか、どういう時に人は「空を青い」と言うかについては、すべての物理的情報を得ているとする。その条件下である時メアリーが部屋から解放され、カラーのモニターで外の世界の赤や青を見たとする。その時、メアリーは何かを新たに学習したことになるのか？

私たちはこの経験で新たに何かを学んだと言いたくなるが、メアリーは定義によって、全ての物理的情報をすでに得ているはずである。でも彼女にはそれまで何かが足りていなかったように思える。それは「生の感覚」あるいは「クオリア」である。このことから、人間の意識は物理的なものから構成されているとする物理主義は誤っている、と結論できるという。ちなみに彼は後に論文「クオリアに関する後書き」（一九九八）でこの見解を撤回する意志を表明し、論文「心と幻想」（二〇〇三）でその理由として、メアリーが新たに獲得するのはクオリアではなく、表象であったという考えを示している。

アメリカの哲学者**ジョセフ・レヴィン**（一九五二〜）は「唯物論とクオリア」（一九八三）で、やはり「クオリア」に関連して物理主義を批判している。痛みが神経線維の発火であるという言い方は、機能主義者が好む因果的な説明だが、それだけでは私たちは肝心なこと、「なぜ痛みは、それが現にそう感じられるような仕方で感じられねばならないのか！ Why pain should feel the way it does!」という問題に答えていない。神経線維と、痛みの質的な性格（qualitative character）の間のつながりは謎めいたままである。彼はそれを「説明上のギャップ explanatory gap」と呼んで、「説明上のギャップ」の存在をごまかす物理主義を批判する。

また、オーストラリア出身の哲学者**デイヴィッド・チャーマーズ**（一九六六〜）は、『意識する心』（一九九六）で、「意識」に「物質」とは異なる独自のステータスを与える二元論を本格的に展開している。彼はまず、「意識」をめぐる様々な概念を、行動の因果的な連鎖や認知に関わり、心理学的な実験によってその実態を捉えることができる「心理学的 psychological」概念と、どのように感じるかをめぐる「現象的 phenomenal」概念とにはっきりと分け、自らは後者に絞った「意識」論を展開すると宣言する。物理主義者は、前者を物理的出来事に還元できると主張するが、「意識」をめぐる問題として肝心なのは後者であるという。

彼は「(現象的) 意識」は、この世界の物理的特性に論理的に「付随 supervene」するわけではないことを明らかにするため、地球と全く同じ物理的特性を持った双子宇宙に、私と生物学的な特性が全く同じであり、あらゆる物理的刺激に対して私と全く同じ行動をするが、(現象的) 意識による経験が一切ない私の「(現象的) ゾンビ」を思い浮かべるよう促す。「ゾンビ」に意識経験がなかったとしても、双子宇宙における物理的な因果連鎖に一切齟齬《そご》は生じない。したがって、「意識」は、この世界の物理的特性に論理的に付随するわけではない。つまり、この世界と同じ物理的特性から必然的に「意識」が生じてくるわけではないのだ。その意味で、「意識」を物理的特性から導き出そうとする「唯物論」は誤っている。

しかし私たちには、現に「意識」による「経験」がある。しかも、「○○は赤い」とか「私は痛みを覚えている」といった経験は、自然界の物理的出来事に「付随」する形で生じる（＝自然的付随性）。「意識」は、この世界の（論理的に必然的なものではない）偶発的な物理法則に従って、物質的基層（physical substrate）を基盤に生じるが、物理法則に取り込まれることはない、とする自らの基本的立場を「自然主義的な二元論 naturalistic dualism」と呼ぶ。「意識」は物理法則に直接従うわけではないが、物理的プロセスの一部である認知のメカニズムとの間に整合性（coherence）を保っている。私が経験する「〜な感じ」とは無関係に、判断や気づきなどの、認知プロセスが勝手に進行し、行動が生じるということはない。彼は、この宇宙には経験の物理的なものに対する依存の仕方を規定する「心理物理的諸法則 psychophysical laws」があるのではないかと想定し、それを明らかにして、「意識」の理論を確立すべきことを提唱する。

チャーマーズは、「意識」が物理法則から直接導き出せないことは強調するが、物理的世界が因果的に閉じられている――したがって、因果的連鎖の外部からの「意識」による介入は認めない――ことや、「意識」が認知や行動の機能的側面に対応していることなどは認めており、物理主義者、特に機能主義者と共通の前提に立っている部分が多い。通常の物理主義者以上に、認知科学の成果を参照し、論理的付随性／自然的付随性の区別をめぐる問題に見られるように、可能世界論にコミットしているのである。彼は、認知的諸機能との間に整合性を保っており、機能主義的に説明可能なものとして「意識」を捉えようとする自らの戦略を「**非還元的機能主義** nonreductive functionalism」と呼ぶ。

手術によって分離した脳は「生き残る」と言えるか？

物理的な属性に還元することが不可能な、宇宙の中での人間の「意識」の特殊な存在論的地位を強調する論者に、「新神秘主義者」と呼ばれる英国の哲学者**コリン・マッギン**（一九五〇〜）がいる。チャーマーズなどが、「心の哲学」の主流派である物理主義者の議論の前提をかなり受け入れ、その内容を批判的に咀嚼《そしゃく》したうえで、それでも「意識」の非物理的性質が否定しがたいことを示唆する、という遠回りの戦略を取るのに対し、マッギンは物理主義的な論証の作法にあまり従わず、独自の作法で「意識」の問題にアプローチする。

その著作『心の性格』（一九八二）では、未来において脳を分離したり、融合したりする手術が可能になったとして、その手術を受けた「自己」が生き残ったと言えるか、という思考実験を促している。多くの人は、それが古い自己が姿を変えて生き残ったのではなく、古い自己が消え、新しい自己が生まれたと見るだろう。脳の移植のケースだと、人格の同一性は脳の同一性に従属するので、同じ自己のままであると考える人でも、この場合は脳と自己をストレートに結びつけて考えることに違和感を覚えるだろう。

読者をジレンマに追いこむことを通して、マッギンは、**私たちが日常的に前提にしている「自己」は（物質である脳とは違って）「単純不可分な実体」であり、他の単位や関係性には分解できるものではないと主張する。**この見方に矛盾があることが示されない限り、私たちはそのような見方を保持していいはずだ。挙証責任は、心と脳の同一性を主張する物理主義の側にあるわけである。

意識の神秘？

これと同じような思考実験を、同じ英国の哲学者**デレク・パーフィット**（一九四二〜二〇一七）が『理由と人格』（一九八四）で行っている。

パーフィットはトランスポーテーション（瞬間移動）が可能になった未来世界を考える。そこでは直接物質を瞬間移動するのではなく、その人の身体に関する情報をスキャンしておいて、移動先でその情報をダウンロードして再現する形で移送を行う。元の自分の身体は解体するのが原則だが、もし間違ってオリジナルも残ってしまって、二人の私が存在する事態になったとしたらどう考えるかと、パーフィットは問題提起する。彼もこうした考察を通して、人格の同一性を身体や脳に結びつけることを否定する。だが、人間の人格的同一性はもともとそれほど確固としたものではなく、時間の経過とともに変化し、幼児の自分と今の自分の間にほとんど接点が感じられないことが多いのだから、同一性にこだわる意味はないと主張する。「自己からの解放」さえ提唱する――パーフィットの議論の目的は、長期的な変化というパースペクティヴを導入することで、各人のアイデンティティ（同一性）の不変性を前提にした従来の倫理学の枠組みを再考することにある。マッギンとは真逆の発想である。

先の例から分かるように、マッギンは内からの視点に徹することで、各人の「自己」を中心とする心の世界を擁護するという戦略を取る。『意識の問題』（一九九一）では、アメリカの哲学者トーマス・ネーゲル（一九三七～）の有名な論文「コウモリであるとはどのようなことか」（一九七四）を拡大解釈する形で、意識の神秘を強調している（ネーゲルは物理主義に批判的だが、完全に否定はしないという微妙なスタンスを取っている）。

ネーゲルの論文はタイトル通り、コウモリであるというのが「どのようなことである」かは、コウモリの視覚や聴覚に関する客観的・物理的なデータをいくら積み上げられても、私たちには分からない。私たちはコウモリではないので、コウモリの聴覚や視覚を備えて空を飛べばどういう感じがするか、経験できないからである。この思考実験を通してネーゲルは、「経験の主観的な性格 subjective character of experience」を物理主義的な記述によって説明できないことを示唆する——ネーゲル自身は「クオリア」という言葉を使っていないが、こうした一人称の視点を取る当事者にしか分からない経験は、まさに「クオリア」だ。

マッギンはこうしたネーゲルの議論に、経験のもう一つの側面、「世界に向かって方向づけられた world-directed」側面、言い換えれば、「志向性」を付け加える。これは主体が、自分の「外」の具体的な何かを対象として「意識」する、その対象に「意識」を向ける、ということだ。何かに「意識」を向けるから、「クオリア」を伴った経験がなされるのである。「緊張する」とか「わくわくする」とか、「つまらない」「新鮮だ」といった感じがするのは、私が何かに能動的に「意識」を向けるからである。

物理主義者であれば、「志向性」を因果的な事実で説明しようとするだろうが、因果的事実だけだと、「意識」がどうして特定の対象に向けられ、そこに「クオリア」が伴うのはなぜか説明できない。私たちは単に食糧になるものが視野に入ると、それに自動的に反応するというのではなく、何か特定の味覚的な喜びを与えてくれそうなものを見つけようとし、そういうものに「意識」を向ける。芸術や学問の探求の対象に「意識」を向け、その対象に対して何かを感じたという時、それを生物学的な因果法則で説明することはできそうにない。「意識」は、最終的に何を目指して運動しているのか。

マッギンは、因果法則とは別の次元で進行する、「志向性―クオリア」のペアの形を取る「意識」の発現の仕組み、「意識」が物質界に「受肉」する仕組みを、自然の秩序における**隠れた構造** hidden structure と呼ぶ。「隠れた構造」にアクセスするために、彼は「内観」を重視する。「内観」でアクセスできるのが主観的パースペクティヴだけであることや、「意識の隠れた構造」そのものは明らかにできないなど、限界は認めているものの、それでも「クオリア」や「志向性」などに最も直接的にアクセスできる方法として正当化している。脳における知覚とそれに関連した推論の仕組みを経験的に探究するボトムアップのアプローチと、「内観」によるトップダウンのアプローチの両面から、「隠れた構造」の特性に迫っていくべきだとしている。

『神秘的な炎』（一九九九、二〇〇一：邦訳タイトル『意識の〈神秘〉は解明できるか』）では、意識をめぐる問題は、恐竜の消滅の原因のような、具体的な証拠の不在のために解決が困難なものとは次元が違うと主張する。概念的枠組みが欠如しているので、意識についての説明が「どのような look like」ものかさえ分からない。それは言わば、私たちの概念的な資源における巨大な穴になっており、それを彼は「神秘」と呼ぶ。彼は自ら、そうした根源的な無知を認めるという意味で、「神秘主義 mysterian」的な立場を取ると公言する。それは一見、知的諦念のように見えるが、彼に言わせれば、それは人間が自分には「限界」があることを知り、「限界」を超えて行くための方法を考えさせるポジティヴな契機になる。

「意識」の本質をめぐる攻防①――志向性

これまで見てきたように、「心の哲学」ではAIと心のアナロジーが大きな比重を占めている。**AIとの関連で一番焦点になるのは当然、AIに人間の「心」と同じものを持つことは可能か、意識を持ち得るか、自律的な思考ができるようになるのか、という問題である。**「心の哲学」では、単なる計算ができるだけではない、人間に近いAIを、サールの命名に従って「強いAI（strong AI）」と呼ぶ。

ごく普通に予想すると、物理主義者が「強いAI」を支持し、反物理主義者、二元論者が反対するという構図になりそうなものだ。だが、自然的二元論者であるチャーマーズは、人間の脳の機能構成に正確に対応する一定の物質的な構成があれば、それに付随して現象的意識が生じ得ると主張し、「強いＡＩ」を積極的に支持する。

パトナムのように、機能主義の先駆けでありながら、機能主義批判に転じ、「強いＡＩ」にも批判的になる例もある。サールは、心的状態は脳の作用によって引き起こされ、脳の構造において現実化するという、基本的には「意識は脳の作用から生じる」という物理主義的な姿勢を見せながら、心的現象に固有の性格を強調し、行動主義者や機能主義者に抗して「強いＡＩ」を否定する。

サールが特に力を入れるのは「志向性」をめぐる問題である。論文「心、脳、プログラム」（一九八〇）でサールは、単に与えられた仮説を厳密に定式化し、検証することができるツールにすぎない「弱いＡＩ」と、正しいプログラムを与えられれば、実際に理解し、認知状態になる「強いＡＩ」を区別して、後者が不可能であることを、有名な「**中国語の部屋**」の思考実験で示す。

私はある部屋に閉じこめられている。そこに漢字が書きつけられているらしい紙の束を与えられる。私は中国語を全く知らないので、そもそもそれが本当に中国語かどうかさえ分からない。そういう状態で、英語で指示を与えられる。その指示は、最初に与えられる紙束①に、「『◆◇□■』という記号の列があれば、紙束②から、『△▽▼▲…』で始まる記号列を見つけ出し、両者を関係づけ、記録せよ」というような形を取る。この指示に従って、私は①に見いだせる全ての記号列に対して、対応する記号列を②から抜き出して関連づけたものを、部屋の外に出力する。すると、外の部屋にいる中国語の分かる人から見ると、あたかもその部屋には中国語が理解できる存在がいるように見える。

サールに言わせると、プログラムに従って動作するAIがやっているのは、まさにこれである。与えられた指示に従って作業し続ける私が、自分が操作している中国語の文を理解していないように、与えられたコマンドに従ってAIも入力と出力を結びつけているだけで、自分のやっていることを理解していない。

では、私たちとAIはどう違うのか。サールに言わせると、AIのやっている作業はプログラムの「インスタンス（実体）化 instantiation」であって、知覚、行動、理解、学習などの人間の意識の諸形態の根底にある「志向性」を欠いている。この論文でのサールの定義では、「志向性」とは**「世界の中のある対象や事態に向かって、あるいは、そうした対象や事態に関わるように方向づけられている心的状態の特徴」**である。**簡単に言うと、「何か」に自発的に関わっていこうとする態勢である。**私たちは、外界から入って来る刺激に対して機械的に反応しているだけでなく、自分から特定の何かに意識を向け、それに関わっていこうとする。
　私たちが他者を理解するという時、私たちは他者を、自分と同じように「志向性」を持った存在者と見なし、「志向性」を帰属させているが、私たちは入力に対して機械的に反応して、出力しているだけのＡＩに「志向性」を帰属させることはない。この論文の後、サールが『志向性』（一九八三）で与えている説明によると、発話行為を通して、私たちは自分たちが発する文に「志向性」を付与している。つまり、文には私たちの対象や事態に対する志向性が反映しており、**文を理解するというのは、その文によって表象される、他者の「志向性」を理解することである**。ＡＩの文の操作には、「志向性」が関与していない。

サールに対するデネットの応答

　サールはその後、『心・脳・科学』（一九八四、九三）、『心の再発見』（一九九二、二〇〇八：邦訳タイトル『ディスカバー・マインド！』）、『マインド』（二〇〇四、〇六）といった著作で、「心の哲学」に対する自らのスタンスを明らかにしていく。『心の再発見』では従来の「心の哲学」の唯物論的な傾向、意識抜きに「志向性」を説明することで、心的状態を消去しようとする傾向を批判する。そのうえで「意識」は脳内の複雑なプロセスの因果的な連鎖の中で創発した属性（emergent property）だが、客観的（三人称）に観察可能な物理的事実には還元できない、一人称的な性格を持っていると主張している。『マインド』では、「意識」の「一人称の存在論 first-person ontology」を提唱している。

「中国語の部屋」の思考実験は、「心の哲学」において大きな反響を引き起こした。実験の設定自体が不適切であること――部屋の中の処理が異様に遅そうなことなど――を指摘する議論も少なくなかったが、チャーチランド夫妻は論文「機械は考えることができるのだろうか？」（一九九〇）で、ルールに支配されて操作を実行する古典的なＡＩであれば、サールの言うように、確かに「意味」を理解していないことを認める。その一方で、神経科学の発達によって脳が数百万の異なった経路での処理を同時に行う並列マシーンであることや、ニューロン群の間のフィードバックによって全体的な動作を調整するメカニズムがあることなどが判明し、それをある程度反映したＡＩが現実化しつつあることから、「強いＡＩ」は不可能ではない、としている。

先にサール vs. デネットの論争という表現をしたが、デネットの『解明される意識』は、ある意味その全体が、志向性を核とするサールの「意識」論への応答になっている。物理主義も含めて従来の「心の哲学」が、「脳」のどこかに「意識」の中核的な場があり、そこに位置する〝真の自己〟が意識内の全ての出来事をコントロールしているかのような語り方をしてきたことを、デネットは問題視する。彼は、そうした自己の内なる真の自己（であるかのように扱われてきたもの）を「ホムンクルス」、ホムンクルスの居場所であり、その眼前で意識のあらゆる対象が表象される空間を「デカルト劇場 Cartesian theatre」と呼び、いずれも幻想であることを、心理学実験の知見や、人工知能研究の知見に基づいて論証しようとする。カントやドイツ観念論の哲学者が想定しているような、理性によって意識を全体的に統合する包括的な主体などない。私の意識においては、その都度異なった経路で多段階的に決定や判断が成されており、どこでそれが確定したのか決めることはできない。しかし後で振り返って、自他に報告する際、あたかも自己の周囲の状況を把握し、自らの意図によって全てを実行した〝統一された主体〟がいたかのような語り方になるのである。

「デカルト劇場 - ホムンクルス」に代わる意識のモデルとして彼が提案するのは、「**多元的草稿**（multiple drafts）-**パンデモニウム**（百鬼夜行 pandemonium）」である。「多元的草稿」というのは、マスコミやお役所的組織で公式の文書が作成される時に、何人かの手で原案が作られ、その内のどれかが叩き台とされて、他の案の表現も取り入れて、最初の案になり、それがいくつかの段階を経て修正され、最終的な文書になって発表されるに至るのと、同じようなことが脳の中で起こっているからである。一人のホムンクルスではなく、確定的な役割分担をしていない多数のデーモン（鬼）――脳内のモジュール――が蠢《うごめ》いている。課題が与えられるたびに、複数のデーモンたちがそれを引き受け、自らの方式で実行すべくしゃしゃり出てきて、競争したり、連携したり、互いのパフォーマンスを評価・選択したりしながら、並行的に動作する。膨大な数のデーモンが関わった多段階の編集が行なわれ、一つの答えが出力されるのである。

そうした〝自己〟の内で起こったことを、後になって一貫性があるかのように思って語ろうとする時、便宜的に〝中心となる主体〟があるかのような語り方になる。公文書の署名者があたかも単一の著者と見なされるように。なぜそういう語り方をするのかと言えば、それによって自らが進むべき方向性を定め、自らの行動の予測性を高めることが可能になり、他者とコミュニケーションしやすくなるからだ。それを繰り返すうちに、「統一された自己」が存在することが疑い得ない事実になる。

そうした意味での「自己」をデネットは、「**物語的重力の中心 Center of Narrative Gravity**」と呼ぶ。「物語」によって「自己」が構成されるというのは、マッキンタイヤやテイラーなどのコミュニタリアンの政治哲学者が、ロールズなどの普遍的主体論に抗して展開する議論であり、物理主義の急先鋒であるデネットがそれと同じような議論をするのは興味深い。

〝単一の自己〟は物語的虚構である

ただ、マッキンタイヤは「物語的自己」がアイデンティティとして定着するという前提で考えているので、その点はむしろ対照的である。その都度の語りによって自己が再構成されるというデネットの見方は、むしろ先に見た「エクリチュール」をめぐるデリダの議論に近いように思われる。実際デネットも、英国の小説家デイヴィッド・ロッジ（一九三五〜）の小説『素敵な仕事』（一九八八）の登場人物の以下の発言を引用する形で、多少の留保をつけたうえで、デリダ的な「自己」観が自分の発想に意外に近いことを認めている。

「（……）資本主義や古典派の小説を基礎づけている『自己 Self』などというものは、存在しないのである。言い換えると、ある人物の同一性を構成する有限で単一の魂とか本質とかいったものは、存在しないのである。存在するのは、（……）諸言説の無限の網の目の内での、一つの主観的な位置だけである。同じ理由で、著者などというものは存在しない。(……)ジャック・デリダの有名な言葉を借りれば、『テクストの外には何も存在しない』のである」

AIの進化に即して人間の意識の進化を考えるデネットと、「エクリチュール」をめぐる考察によって西欧のロゴス中心主義的な哲学を根底から揺さぶろうとしているデリダの「自己」観が結果的に接近している、というのは興味深い事態である。ちなみにデリダもまた、「主体」と「言語」の関係をめぐって、サールとの間で激しい論争を繰り広げている(拙著『ポストモダン・ニヒリズム』〔作品社〕の第十一章を参照)。

こうした見方をすれば、サールがこだわる「一人称の存在論」と結びついた「志向性」は無意味になる。デネットの枠組みでは、〝単一の自己〟は物語的虚構である。強いて言えば、各デーモンが「志向性」を帯びているということだろう。そもそも〝私〟には、自分の中のデーモンたちが何をやっているか把握できない。自分のニューロンの動きを「内観」で読み取れる人間はいない。むしろ、「外」側から第三者が、神経科学などの手段を使って観察した方が、「デーモン」たちがどのような「志向性」を持っているかを把握しやすい。

デネットにとって「志向性」とは、対象あるいはシステムの振る舞いを予測するための戦略的視点の問題だ。論文「志向的諸システム」（一九七一）や『「志向姿勢」の哲学』（一九八七）での彼の議論によれば、当該のシステムが信念や欲望など、現象学者たちが「志向性」と呼ぶ、心的諸状態を備えた合理的な行為体（rational agent）であると見なすことで、その振る舞いを予測することができれば、それは志向性を持ったシステムということになる。その意味で、各種のコンピューターに「志向性」を付与するのは正当だという。

「意識」の本質をめぐる攻防②――クオリア

人間の意識の本質を考える際のもう一つの焦点は、「クオリア」だ。ネーゲル、（初期）ジャクソン、マッギンなどは、「クオリア」の問題を説明できない、あるいは無視していることに関して物理主義を批判する。彼らにとって「クオリア」こそ、人間の意識が物理的因果関係に還元できないことを端的に示す証拠だ。ただしチャーマーズのように、二元論の立場を取りながら、一定の機能構成がありさえすれば、ニューロンやＡＩ、さらにはサーモスタットのような無機物でも「クオリア」を備えた意識経験を持つ可能性があると示唆する論者もいるので、この点でも、対立構図はそれほど単純ではない。

神経科学者**ラマチャンドラン**（一九五一～）と、アメリカの哲学者**ウィリアム・ハーステイ**

ンは論文「クオリアの三つの法則」（一九九七）で、「クオリア」は神経システムによって生成かつ制御される機能であるとして、私的自己にのみ属する主観的なものであり、他者にはアクセス不可能という通常のクオリア観を否定する一方、「クオリア」が各人の「自己」にとって次の三つの重要な機能的特徴を持っていることを指摘している。①クオリアを伴う感覚において生み出される表象は取り消し不可能である、②一方で、その表象をどのように処理するかについては多様な選択肢がある、③クオリアを帯びた表象は、その表象に基づく判断が成されるまでの間、作業メモリーを維持させる働きがある。彼らは正常な「クオリア」の欠如という視点から、いくつかの神経疾患の症状を説明している。

物理主義の主要論客たちは、クオリア不要論の立場である。ポール・チャーチランドは、『神経コンピューター的パースペクティヴ』で、志向性や情動（emotion）、「生の感覚」と並んで、「クオリア」を消去すべき語彙の筆頭に挙げ、色が光の波長に、熱が気体の分子の運動に置き換えられたように、クオリアも神経科学用語に置き換えられるとしている。アメリカの哲学者マイケル・タイ（一九五〇〜）は、『心象をめぐるディベート』（一九九一）で、「視覚クオリア」に関して、物理的な現実に直接対応しない、心象的表象（imagistic representation）が及ぼす複合的な効果として説明可能であり、消去可能だとしている。

ネーゲルやマッギンの議論のように、「クオリア」の経験の圧倒性に直接的に訴えると、反証可能性（ポパー）が失われて、有意味な議論をしにくくなるが、「メアリーの部屋」のように、物理的因果関係についての「知識」に焦点を当てると、賛否の議論を立てやすくなる。実際、「メアリーの部屋」については様々な解釈が出されている。物理主義者たちの多くは、メアリーが全ての物理的事実を知っていたという想定に無理があると指摘するか、彼女が経験する〝クオリア〟は神経科学的事実に還元できると主張することで、この世界が因果的に閉じられていることを論証しようとする。

「クオリア」というユーザー・イリュージョン

アメリカの哲学者**オーウェン・フラナガン**（一九四九〜）は、『意識再考』（一九九二）で「物理主義」を、「形而上学的物理主義 metaphysical physicalism」と「言語的物理主義 linguistic physicalism」に分けて考えることで、前者を防衛するという戦略を取っている。「形而上学的物理主義」とは、単純に、存在する全てのものは物理的なモノ、あるいはその関係性であると主張する。「言語的物理主義」は、物理的なものは全て完成された物理学、化学、神経生理学などの基礎科学の言語によって表現できる、と主張する。後者は強すぎる主張であり、その分不確かである。ジャクソンの設定は、後者の意味での「物理主義」に基づいている。前者の意味での「物理主義」は、「赤の経験がどのようであるか」を基礎科学の言葉で説明できることを含意しない。「どのようであるか」を知るには、一定のタイプの刺激と、それと適切に接続された有機体の間での一種の一人称的関係が必要になる。仮定によって部屋の中のメアリーは、赤という色に関して、完成された物理学、化学、神経生理学の言語によって表現し得る全てを知っていたかもしれないが、一人称的経験を欠いていたので、一人称的関係を必要とする、赤の現象的構成要素（phenomenal component）について新たに学ぶことがあるとしても、何の矛盾もない。

デネットは、部屋の外に出たメアリーが実際に何かを新たに学習するのか、学習するとすればそれは何かをきちんと想像するように促す。「クオリア」を伴う経験は実在するという前提で考えると、物理的情報しか持たないメアリーが、今までに知らなかったことを学習した、と言いたくなる。しかし、外に出たメアリーに、誰かが「これが赤ということだ。君は知らなかったろう」と尋ねたとして、メアリーは素直にイエスと答えるだろうか。私は色彩学の研究を積んできたので、現実に「赤」を見た時、「私の神経系統にどういう刺激が生じ、どういう風に反応するかすでに知っていた」と言うかもしれない。彼女にとって、それが赤経験の全てかもしれない。無論、その前提で考える場合、部屋の中にいた彼女は、赤が自分の神経系統に及ぼす変化を、「内側から from the inside」確認する方法を知らなかったと言うことはできる。しかし彼女がその方法を学習するのは、事前の知識を完成させるということであって、「クオリア」信奉者が想像しているような、物理的現象を超えた、意識の神秘のようなものではないだろう。

デネットに言わせれば、「クオリア」は、物理的な刺激に反応する「性向の複合体 complexes of dispositions」にすぎない。彼にとって、脳内のデーモンたちによる草稿処理プロセスに還元できない、統一された「意識」は錯覚にすぎない。そうである以上「クオリア」もまた、それらのデーモンたちの行動の帰結を、総括的に報告しようとするその都度の〝主体〟が抱く、ユーザー・イリュージョンなのである。

第 5 章

新しい実在論

存在することを
なぜ問い直すのか？

「ポストモダン」以後の実在論

構造主義／ポスト構造主義の影響を受けた一九六〇年代後半以降のフランス系の現代思想では、科学的・啓蒙的思考を支えてきた（対象やそれが存在する世界の）「実在性」は、「実在性」を把握して合理的に行動する「主体」とともに、徹底的に根拠を剝奪《はくだつ》された。いかなるものにも頼ることのできない流動性に耐えることが、ポストモダン思想の特徴であった。冷戦構造終焉後の政治的二項対立構造の崩壊に伴う対立構図の多元化、ラディカルな宗教運動の台頭や、ジェンダー・セクシュアリティをめぐる問題の表面化もある意味、ポストモダン的な見方を強めることになった——必ずしもフーコーやデリダの思想を受け容れる人が増えたという意味ではない。

しかし二一世紀のゼロ年代の後半から、スピノザ、ニーチェ、ハイデガー、デリダなどの影響を受けた哲学者の間で、「実在」について本格的に哲学的に考えようという運動が生まれてきた。「何でもあり」という態度を取り続けると、まともな哲学的論議はできないし、政治や宗教に関わる非合理主義的な主張を、客観的な論拠によって批判することが困難になるからだ。

様々なグループがあるが、最も大きな拡がりを見せているのは、フランスの哲学者クァ

ンタン・メイヤスー（一九六七〜）やアメリカの哲学者**グレアム・ハーマン**（一九六八〜）などの「**思弁的実在論** speculative realism」と呼ばれるグループである。二〇〇七年四月にロンドン大学ゴールドスミス・カレッジで開かれた、「思弁的実在論」と題したワークショップに参加した、主として英語圏の哲学者たちが当初メンバーとされる。

日本でも著名になった**マルクス・ガブリエル**（一九八〇〜）は、ドイツ観念論やハイデガーの影響を強く受けた「**新実在論** der Neue Realismus」を提唱しており、「思弁的実在論」の当初メンバーではないが、このグループと近いと見られている。ポスト構造主義や解釈学の影響を受けているイタリアの哲学者**マウリツィオ・フェラーリス**（一九五六〜）も「**新実在論宣言** Manifesto del nuovo realismo」（二〇一二）を出し、広範な反響を呼んだ。

「思弁的実在論」や「新実在論」の目指すところは何か。ひと言で言えば、**主体による認識によって左右されることのない、否定しがたい「実在」があることを、哲学的な「思弁」を通じて明らかにしようとする試み**ということになろう。前近代の実在論は、「神」や「イデア」のような〝究極の実在〟あるいは〝実在の根源〟に関係づける形で、諸事物の「実在」を証明しようとした。万物の根源であるXの意志、あるいは創造の法則を想定し、それに適合するものは実在する、と考えたのである。現代の「実在論」は、そうした形而上学的な世界観を前提にすることなく、主体の意識を超える「実在」について思考し、ある属性を備えた対象が「実在」するか否かを判断することが可能であることを示そうとする。それにとどまらず、現代思想における相対主義的な世界観や価値観を打破して、「実在論」を哲学的思考の基軸として復権しようとする。

念のために言っておくと、「実在」をめぐる議論は、分析哲学にもなかったわけではない。第四章で見たチャーチランドのように「科学的実在論」を積極的に掲げる論者もいる。ただそれは、主体の認識とは関係なく、その都度の（自然）科学によって「実在」の基準を決めようとする立場である。パトナムは自らの立場を、初期の「形而上学的実在論」から「内在的実在論」へ、さらには「自然な実在論」へと転換したことで知られているが、パトナムの関心は、認識主体が「対象」の実在をどのように把握しているかを、分析哲学が得意とする概念分析によって解明するものであり、認識主体の外部における「実在」の可能性について直接論じるというようなものではない。

分析哲学の中には、第四章でも部分的に触れた、同一性、因果性、付随性、可能世界、個と普遍など、経験的に実証できない基礎概念を徹底的に分析しようとする潮流があり、それらは「**分析的形而上学**」と総称されている。ガブリエルはこれらの議論をかなり取り入れており、分析哲学と大陸哲学という区別は認めないというスタンスを取っているが、分析的形而上学者の多くは、クワインやデイヴィッドソンによって確立された分析哲学の文法の枠内で語っているし、「実在論」の復権を大きな目標に掲げているわけでもない。分析的形而上学と、新しい「実在論」の関係については、いろいろ面白い論点がありそうだが、専門的になりすぎるので、本書では立ち入らない。

新しい「実在論」の論者たちの多くは、分析哲学や科学哲学の議論の動向や、神経生物学など自然科学の最新の知見を念頭に置いており、フーコーやデリダのテクストよりもこうした方面の議論と接点があるように見える。また、経験科学的なデータや分析哲学の内輪のルールにあまりこだわらず、近代初期において合理主義者でありながら神や宇宙についての壮大な思弁的体系を展開したスピノザやライプニッツのように、大胆な形而上学的思弁を駆使する傾向が強い。

彼らは「実在」を相対化しようとする、現代の哲学的諸潮流を論敵とする。ガブリエルとフェラーリスは、ポストモダン系の思想を主な論敵としているが、他の論者は必ずしもそうではないし、もともとデリダやドゥルーズの影響を強く受けていたフェラーリスと、さほどポストモダン思想への思い入れがないように見えるガブリエルでは批判の仕方が異なる。アメリカの哲学者ユージン・サッカーやスティーヴン・シャヴィロ（一九五四～）のように、ドゥルーズの理論を積極的に取り入れている場合もある。神経生物学やAI研究との距離の取り方もかなり違う。

全体をまとめることは無理なので、以下では、特徴的な理論家数名と、彼らが何に対抗して、何を主張しているのかピンポイントで紹介することにしたい。

カント以来の「相関主義」の克服

思弁的実在論の当初メンバーであるメイヤスーの議論の焦点は、**カント以降の近代哲学を支配してきた「相関主義 corrélationisme」の克服である**。「相関主義」というのは、主体から分離された「対象それ自体」を把握するのは不可能であり、主体の側も常に対象と関係づけられ、それによって規定されている、という見方だ。

この見方に従う限り、「主体」も「対象」も、それ自体として自立的に「実在」しているとは言えない。カントの影響で「相関主義」を前提としている人たちは、最初から「実在」について語ることを諦める傾向にある。私たちは自らの意識と言語に囚われており、その〝外〟に出て、対象の「実在」を知ることは不可能とされてきた。カントの用語で言えば、

「物それ自体」は認識不可能だということである。

しかし、「相関主義」の何が問題なのか。「主観」としての私たちのパースペクティヴによって限定された、括弧つきの〝実在〟だけではどうして不十分なのか。日本でも話題になった『有限性の後で』（二〇〇六）で、メイヤスーは**「相関主義」が、「信仰主義 fidéisme」に結びつく**ことを指摘している。「相関主義」と、信仰によって絶対者に到達しようとする「信仰主義」が結びつくというのは一見矛盾しているが、そうではない。「相関主義」の下では、主観を越えた真理や価値に到達できる可能性は否定される。そうなると、各人や共同体がそれぞれに抱いている自分（たち）なりの信仰によって、絶対的なものに到達しようとするのを、普遍的な論理によって批判することはできない。

無論、これは狭い意味での宗教に限ったことではない。絶対的な基準がないといったん〝悟って〟しまうと、あらゆる価値観や世界観が、他の人たちには相容れない、自分なりの信仰にまい進しようとする。このように考えると、西欧近代を支えてきた啓蒙的理性の解体が進行したことによって生じたポストモダン的な相対主義・ニヒリズムの状況――リオタール（一九二四〜九八）の表現を借りれば、啓蒙という「大きな物語 grands récits」の終焉――と並行して、宗教的原理主義の運動やスピリチュアリズムが台頭している背景が分かりやすくなる。

　メイヤスーは「相関主義」の限界を突破するための手がかりとして、人間が存在するようになる以前の地球で起こったことについて語る「祖先以前的言明 énoncé ancestral」の問題に取りかかる。マルクス主義の唯物論や科学的実在論の発想だと、人間がいようがいまいが、数十億年前から地球が存在し、人間が経験していない地殻・気候変動があり、様々な生物が現れたことは、化石などから確認できる客観的事実であり、議論の余地などない。メイヤスーはそうした素朴な実在論のように、主体と対象の関係をめぐる考察を不要と見なして最初から消去するのではなく、相関主義にこの問題を突きつける。

対象の「実在」が常に主体に関係づけられているとすれば、「主体」による認識の枠組みの彼方にある〝対象〟の実在について有意味に語ることができるのだろうか。人間と同じような知覚・判断能力を持った主体が存在しないのに、（認識される）対象だけ存在するということがあり得るのか。

　例えば、大気とか海、山、谷、光、匂いなどは、私たちが一定の形式を備えた対象として認識しなかったら、時間的にも空間的にも他の対象や出来事との境界線が定かでなく、何をもって「存在」していると言えるのか定かではない。人間や動物、石など、（私たちの目から見て）個体の区別がはっきりしているように見えるものについても、私たちより遥かに巨大あるいは遥かに小さな認識主体、もしくは、時間感覚や知覚の精度が全く異なる認識主体がいるとすれば、そうした主体にとっても、「存在」していると言えるのかは分からない。そもそもそうした異なる主体が有している存在観が、私たちに理解できるかどうかでさえ見当もつかない。

相関主義者は、認識主体を現在の我々のような人間に固定し、主体にとってどう見えるかを基準にすることで、対象があるのかないのか、どのようにあるかを特定できると考える。ただ、そうした相関主義的な前提で考えた場合、人間が登場する以前の地球には、存在の尺度となる主体が不在なので、かつての地球に何らかの対象が「存在」していた、と言うことができない。それだけではない。人間の認識能力の守備範囲を超えたところには、対象が実在するとは言えない。「その場に人間がいたとしたら、……」とシミュレーションすることはできるかもしれないが、それではその対象が存在していたことになるのか曖昧になるし、人間が存在し得ない、あるいは関与し得ない状況であれば、そうしたシミュレーションさえ無意味になる。

このように考えると、相関主義の立場を取る限り、「祖先以前的言明」に意味を与えることはできないのが分かる。相関主義者にできるのは、それは経験科学的な問題なので、哲学の守備範囲とは関係ない、と逃げを打つことくらいだろう。そうなると、哲学の守備範囲は、自然科学の発達に伴ってどんどん狭くなっていく。そうした相関主義哲学の脆弱さが、信仰主義の蔓延を許してしまうのである。

いかなる存在にも必然性はない？——メイヤスーの思弁的唯物論

メイヤスーは、相関主義的な枠組みを脱し、「ある絶対的なもの un absolu」に到達する道を探るべきだと主張する。しかし、論証抜きに、「神」のような特定の属性を持った「絶対者」を想定し、「○○は存在する。それは事実だ」と断言するのであれば、それは単なる形而上学的独断論にすぎない。そこでメイヤスーは、**相関主義的な思考を徹底することで、これまでの相関主義的な哲学が依拠してきた諸前提を打破し、「絶対的なもの」を見いだす**という逆説的な戦略を打ち出す。

メイヤスーによると、相関主義的思考は突きつめていくと、「必然的存在者の絶対的不可能性 l'impossibilité absolue d'un étant nécessaire」は「絶対的」であるという帰結に至るはずである。この場合の「必然的存在者」というのは、それが存在することが論理的に必然的であるものということである。従来の哲学では、例えば精神／物質、宇宙、第一原因としての神、実体……などが存在することを必然としてきた。しかし、それはあくまで主体である私にとって、それらが必然的に存在すべき理由があるとしか考えられないということにすぎない。相関主義に従えば、私たちは自らと対象の相関関係を超えた、「外部」がどうなっているか認識することはできない。したがって、私にとっての〝必然性〟が、絶対的な必然性かどうか、私は知ることができない。

では、自然科学的な諸対象についてはどうか。電子、光子、ニュートリノなどの素粒子がこの宇宙に存在することは、現代物理学の基本原理が正しい限り必然的であると、相関主義者を含めて多くの人が考えるだろう。しかし、そうした現代物理学の基本原理自体が存在することに必然性はあるのか。自然科学は、個々の対象の必然性を根拠づける原理の必然性というメタレベルの問題に関わらない。相関主義的に考えれば、それは認識主体である私たちと対象との相関関係の「外部」のことなので、私たちにはそれが絶対的必然性かどうか分からない、ということになろう。どのような存在者についても、それが存在しない宇宙は論理的に不可能だと断言することはできない。

このように、**私たちに認識できる限界の「外部」を考慮に入れると、いかなる存在者にも**

必然性はない。メイヤスーによると、それは私たちが現に存在している世界と無関係な、単なる仮想の話ではない。無限の時間の流れのどこかで、私たちが存在している世界の自然法則が変化し、現在の私たちから見てあり得ない法則が成立する可能性は排除できない。そうした意味で、**「必然的存在者」が不可能であるという事実は「絶対的」なのである。**

これは、あらゆる存在者にはそれが存在する十分な理由があるという、「理由律 principe de raison」（ライプニッツ）の否定を意味する。全ての存在者は、偶然的（contingent）であり、この「偶然性」にはいかなる制約もなく、絶対的である。これをメイヤスーは「理由律」との対比で、「事実論性の原理 principe de factualité」と呼ぶ。いかなる理由もなく、単に〝事実〟としてそうなっているということである。「事実性 facticité」ではなく、「事実論性」という奇妙な言葉を使っているのは、対象や出来事に関する個別の事実（事実性）を成り立たせている理由が、それらが属する世界のどこにもなく、世界自体が偶然の事実としてそうなっている、というメタレベルの問題だからである。

当然、全ての存在者が「偶然的」だとすれば、どうやって「実在」について考えたらいいのか、という疑問が浮かぶ。そこでメイヤスーは、いかなる存在者も（主体である私にとって）現にあるように存在する必然性がなく、全く異なったあり方に変容したり、存在していた痕跡もなくなる可能性があることを、「ハイパーカオス」という能動的な状態として読み替える。「ハイパーカオス」という「絶対者」にあっては、あらゆることが可能であり、何も不可能ではない。それはあらゆる事物や世界を破壊し、非論理的な怪物も生み出せる。狂乱する無秩序な変化を起こすこともできれば、不変不動の宇宙を生み出すこともできる。それはある意味、「全能なるもの」だ。ただし、これまでの哲学者が前提としていた神とは違って、善や理性の狡知のようなものによって特徴づけられることなく、私たちの理性に判明な観念を与えて導いてくれるわけでもない。いかなる法にも従わない。

そうした「ハイパーカオス＝全能なるもの」が「実在」だとしても、私たちはそれにどうアクセスすればいいのだろうか？　自然科学者たちは、経験的データの収集と帰納法によって自然法則を明らかにしようとしてきたが、自然法則が安定しているという前提がなければ、いくらデータを収集し、それに基づいてより厳密に法則を定式化しても、〝自然法則〟それ自体に近づいているという保証はない。確率論的アプローチを採用するにしても、「全体」が一つの法則に従っている必然性がない以上、私たちが経験したことの外部にまで、無条件に適用することはできない。

メイヤスーが最終的に打ち出すのは、**「数学」的思弁によって世界の脱主体化を進めると**

いう戦略である。近代初期、コペルニクスやガリレオは、数学的な方法論による自然科学で、形而上学的な世界観を破壊すると同時に、人間には直接経験不可能な領域にまで踏み込み、世界を数学的に把握するプロジェクトを始動させた。数学化可能（mathématisable）なものは、私たちから独立に存在していると考えることができる。つまり、数学に即して考えれば、祖先以前的言明は可能である。カント以降の哲学は、「形而上学の終焉（la fin de la métaphysique）＝絶対的なものの終焉（la fin des absolus）」と考え、「絶対的なもの」を排除して、世界の全てを主体の経験可能性と関連づけ、相関主義に陥った。しかし、それは近代科学が目指したことではないはずだ。メイヤスーは、形而上学的な「必然性」の想定や「理由律」に訴えることなく絶対性について考えるべく、数学の射程を絶対化することを提唱する。無論、その際に、数学を事実論性の論理に適合させる必要はある。

メイヤスーはそうやって、数学の絶対化可能性に賭けて、「必然性」が偶然である、形而上学が成り立たない世界で、実在について積極的に考えようとする自らの試みを「**思弁的唯物論 matérialisme spéculatif**」と呼ぶ。

世界に意味などない？——ブラシエの超越論的ニヒリズム

数学化の徹底によって実在する世界にアプローチしていこうとするメイヤスーの議論は、結果的に、分析哲学の物理主義、特に、人間の「意識」を排除した「実在」把握を目指す消去主義のそれに接近している。

無論、「必然性の偶然性」のような——通常、形而上学的と形容される——問題にこだわるメイヤスーと、デネットやチャーチランド夫妻のように、説明上の利便性という観点から形而上学的問題をあっさり切り捨ててしまう分析哲学者では、哲学に対する基本的スタンスがかなり異なる。メイヤスーは『形而上学と科学外世界のフィクション』（二〇一三）で、SF系の文学作品に依拠しながら、自然法則が安定していない世界を想像しているし、論文「来《きた》るべき喪、来《きた》るべき神」（二〇〇六、一八：邦訳タイトル「亡霊のジレンマ」）では、自然界の秩序の偶然性という視点から死者に対する公正さを論じ、『数とセイレーン』（二〇一一）で、やはり偶然性という視点からマラルメ（一八四二〜九八）の詩『賽《さい》の一振り』（一八九七）の解釈を試みるなど、デリダなどポストモダン系の論客のそれに通じる、分野横断的・脱構築的な問題関心を示している。ただ、自然科学的事実が主体の意識と関係なく成り立つことを強調し、両者の関係を断ち切るという科学的・哲学的な戦略は、消去主義的な物理主義と軌を一にしている。

こうした、自然科学や数学に依拠した「脱相関主義―脱主体化」の方向性は、思弁的実在論の初期のメンバーであり、「**超越論的ニヒリズム transcendental nihilism**」を提唱する英国の哲学者**レイ・ブラシエ**（一九六五〜）も共有している。「超越論的ニヒリズム」とは、存在の意味や人生の目的を明らかにし、人間と自然の間の調和の回復を目指してきた近代哲学の流れに抗し、それらは無であることを思弁によって積極的に露わにしようとする立場である。「世界」に意味などないのである。

論文「概念と対象」（二〇一一）でブラシエは、「私たちは概念の機構を介して実在の構造にアクセスするが、この機構は、知的に理解されるようにデザインされておらず、元来意味を注入されてもいない世界から、知的に理解可能な指標を引き出すものである」と述べ、「実在の構造」あるいは「世界」に（人間にとって）理解可能な意味を求める「哲学」という営みは、不可避的に形而上学的な傾向を持っていることを示唆する。近代の相関主義の哲学は、形而上学的独断を避け、「主体」に関係づけて「対象」を理解しようとしてきたわけだが、そうなると、「主体」による「対象」の認識にはどのような〝意味〟があるのか、哲学的認識論はどのように正当化されるのか、という問題が出てくる。哲学する「理性」は、自らが依拠する「合理性」に疑問を呈し、常に脱神秘化することを試み、自らの非形而上学性を示さねばならない。

そうした理性の脱合理化を突き詰めていくと、「現れ」を越えた「実在」にアクセスできると自称する合理主義哲学は、神学・形而上学の残滓《ざんし》を引きずっていることになり、〝真の実在〟の探求は放棄せざるを得なくなる。いわゆる、ポストモダン的な状況だ。ニヒリストであるブラシエは、こうしたポストモダン的状況を歓迎しそうにも思えるが、そうはならない。彼はむしろ、相関主義の極限としてのポストモダン思想の開き直りを警戒する。〝真の実在〟に至る道が原理的に閉ざされているとすれば、様々なタイプの「現れ」は相互に対等である。自然科学的な「現れ」も、肉眼に見えるままの「現れ」も、想像の世界の「現れ」も、単なる「現れ」にすぎないとすれば、そのどれかに自分の利益や趣味、世界観に従って〝意味〟を注入して何が悪いのか？

ブラシエは、科学を含めた近代的な合理性の神話を解体し、主体と物との新たな関係の構築を図るポストモダニストの代表として、ラトゥールを批判の俎上に載せている（ラトゥール自身は自らがポストモダニストであることを否定している）。ブラシエの整理によると、ラトゥールは①理性を差別に②科学を力に③科学的知を実用的ノウハウに④真理を力に還元する。ラトゥールにとって知とは、行為主体が現実に生きていくうえでの必要性に即した戦略的な構えであって、それ以上のものではない。ラトゥールは、伝統的な哲学における存在論や認識論を、真理を求めるニュートラルな言説ではなく、政治や社会の現状を正当化したり、攻撃したりするためのツールと見なし、自らもそうした言説を作り出す実践を確信犯的に実行する。ラトゥールにあっては、全ての言葉や表象は、行為者にとってのその都度の「意味」へと還元されてしまう。例えば遺伝子工学や人工知能研究など、現代の最先端の科学研究は、それに携わる研究者や投資家にとっては自らの権力や富を拡大するために最適化されたツールであり、貧困層にとっては自分たちに対する支配を強化し、搾取する装置である、といった具合に。

ブラシエに言わせれば、ラトゥールのようなポストモダンの戦略は、「実在」を過剰に人間の利害や力関係に引きつけて理解する、相関主義の新たな形態だ。それはある意味極端な人間中心主義であるが、前近代のような強力な形而上学は不在なので、異なった利害関係を持つ主体間の争いと意味の氾濫《はんらん》を収拾することはできない。ブラシエは、〝主体〟たちや彼らが一方的に意味を付与する諸〝表象〟の暴走を許容することになる相関主義の危険性を示唆する。

ブラシエは、〝主体〟たちが、自らが関心を持つ表象を〝実在〟と同一視し、過剰に位置づけするのを回避する方向性を模索する。それは「実在」を意味づけしようとする〝主体〟たちを禁欲的にし、〝実在性〟を独占できるかのような幻想を抱かせないことである。そのためブラシエは、**主体が恣意的に操作できない「科学的表象」に依拠して「実在」にアプローチしていく**、というメイヤスーと同様の路線を追求する。メイヤスーはある程度人間が「実在」にアクセスできる可能性を残しているが、ブラシエは『拘束されないニヒル』(二〇〇七)で、宇宙が(人間から見て)無感覚で無目的であることを恐れる必要などなく、人間と無関係な「実在」を露わにしていくことこそが、知性の〝成果〟だと断言している。

モノと主体の関係を再考する――シャヴィロの美的実在論

このように「実在」から「主体」を引き離すメイヤスーやブラシエの戦略に対し、ドゥルーズの理論を取り入れた実在論の論者であるシャヴィロは、数学や自然科学の冷徹な論理に依拠することが、非相関主義化に通じるという見方に疑問を呈する。

シャヴィロに言わせれば、一見非人間的に見える数学的なアプローチというのは、実際には現代社会の特徴なのではないか。ポスト・フォーディズム的な生産・管理様式が支配的になっている現代では、数学化、コンピューター化、アルゴリズム的な問題処理が社会の中で進行している。そして私たちの欲望自体が数学的に管理され、再生産されている。メイヤスーたちの議論は、そうしたポスト・フォーディズム社会のあり方を反映している。シャヴィロに言わせれば、これもまた相関主義ではないのかというわけだ。

『モノたちの宇宙』(二〇一四)でシャヴィロは、認識主体である私たちが一方的に対象である「物」にアクセスするという構図で考えてきた近代の相関主義、およびその構図を引きずったまま「主体」なき世界を描こうとするメイヤスーらに抗して、視座の転換を促している。むしろ、「物たち things」の方が「生き生きと lively」私たちに対して働きかけているのではないか。この場合の「物」は、人工知能や他の生命体だけではなく、道具などの無機物も含まれる。

この著作のタイトルは、英国の小説家ギネス・ジョーンズ(一九五二〜)のSF短編『モノたちの宇宙』(一九九三)に由来する。そこでは人間型のエイリアンが地球に到来して新たな支配者となり、人間は万物の尺度としての地位から低落し、自信を喪失する。エイリアンたちは人間のそれとは異質な道具を使うが、それらを彼らは自分たちの腸内で発生するバクテリアによって作り出すのだ。つまり彼らが使う道具は、環境の中で彼ら自身の身体を拡張したものである。彼らのネットワークは、狭い意味での身体を遥かに超えたところまで繋がっており、彼らは拡張された身体を通して感情や記憶を共有している。エイリアンの車を整備するために雇われた人間の自動車工は、ある時、エイリアンと物たちの「生きている世界 living world」を体験したという幻覚に囚われる。それは、金属的な光沢がある異質な物たちと自分の身体が交わるような、極めて猥褻な感覚であった。人間の世界に帰ってきた彼は、周囲の物たちが「死んでいて安全な dead and safe」ことに安堵する。

フィクションではあるが、この作品からは二つの哲学的問題提起を読み取ることができる。一つは、従来の哲学的世界観が、私たち人間が知性と感性を備えた万物の尺度であることが自明の理とされ、その前提で認識論が展開されてきたが、それは本当に妥当なのか、という問いかけである。私たちと同じように、あるいは異なった仕方で、対象を認識する〝主体〟は存在しないのか。そうした未知の〝主体〟の視点から、対象の認識や享受について再考する必要はないのか？

もう一つは、〝主体〟と〝対象〟の境界線をめぐる問いかけである。私たちは各人の皮膚で、内と外がはっきり分かれており、体表から入ってくる感覚与件が、脳内に情報として集約され、そこで認識が成立しているとイメージしている。しかし、私たちの身体を構成している物質は、（脳によって把握できないミクロなレベルで）〝外〟の〝物〟たちと交替したり、相互作用したりしている。私たちの体内に潜む微生物やウィルス、がん細胞のように、〝内〟か〝外〟かが判然としないものもある。植物やクラゲなど群体を形成する動物のように、個体の境界線がはっきりしない生物もいる。人間とは異なる知覚器官を備えている動物は、自己と環境の区分の仕方が異なるかもしれない。人間の身体感覚も、道具や機械、プロテーゼ（身体を補う人工物）などによって拡張することがある。

シャヴィロは、そうした「物」の「生き生きした働き」をめぐる汎心論《はんしん》的な想像に、科学哲学的な論理づけを与えるべく、存在者たち（entities）の連続的な「生成 becoming」と「経験 experience」をめぐる科学哲学者**ホワイトヘッド**（一八六一〜一九四七）の考察を引き合いに出す。

ホワイトヘッドは、弟子でもあるラッセルとの共著『プリンキピア・マテマティカ』（一九一〇〜一三）で、数学を記号論理学によって基礎づけることを試み、初期の分析哲学を形成することに貢献した。ただ、その主著『過程と実在』（一九二九）で、近代哲学の大前提である認識の主体と客体の分離を否定し、全世界が有機体として自己創造しており、各存在者はその一部である、というスピノザ的な汎神論、あるいは汎生命論を思わせるような議論をしていることもあって、分析哲学者にとっては扱いにくい存在だったようだ。そのためラッセルに比べて参照される度合いはかなり低い。

『規準なし』(二〇〇九)で、石のようなものでも美的経験の主体となり得るとするホワイトヘッドの美学を積極的に再評価することを試みているシャヴィロは、『モノたちの宇宙』でも、ホワイトヘッドを参照しながら、宇宙全体を巻き込む生成のプロセスに参与する存在者たちが、お互いを「感じ feeling」合うという形で相互作用していることを示唆する。あらゆる物理的な存在者の間に成立している原初的な「感じ」合いがベースになって、私たちが通常知覚とか認識と呼んでいるものが成立しているのである。「物」たちが私たちを感じること、経験へと誘っているのであって、自立的に存在している主体としての私たちが、ただそこにじっと存在しているだけの物に一方的にアクセスしているのではない。物たちの「感じ」合いが、私たちが存在する宇宙における「実在」の基盤になっているのである。**「存在」するということは、ある物が他の物たちに与える「感じ」が顕在化することに他ならない。**

シャヴィロは、こうしたホワイトヘッドの議論を、(認識に先立って)人を思考へと強制する対象との「根源的な遭遇」を強調するドゥルーズの議論と、さらには悟性的認識の枠を超えた美的経験の特異性を指摘するカントの美学と接続して、**美的実在論**とも言うべきものの可能性を示唆する。それは、主体／客体図式に収まらない、美的経験（aesthetic experience）を軸にして、物の生き生きした活動を明らかにしていく実在論である。

引き籠るモノたち

シャヴィロが、私たちに対して罠をしかけ、誘き寄せる物たちの生き生きした働きを強調するのに対し、私たちの把握を逃れ、絶えず遠ざかる「対象」の自己隠蔽的性格を強調するのが、メイヤスーと同じく思弁的実在論の当初メンバーであるハーマンの「**対象指向存在論** object-oriented ontology（頭文字をとって「OOO《トリプルオー》」とも言われる）」である。ハーマンはそれを最も体系的に展開した著作『四方対象』（二〇一一）で、従来の哲学は「対象」について真正面から論じてこなかったことを指摘する。

私たちが遭遇する「対象」には、ペン、眼鏡、パスポート、貨幣、日本、東京、首都圏、ソクラテス、プラトン主義者、原子、電子、ニュートロン、スーパーマン、バットマン……など、いろいろなタイプがある。これらを全て「対象」として同等に扱うことには抵抗がある。フィクションの世界にしか存在しないように思えるものや、社会的慣習や取り決めによって存在しているもの、境界線がはっきりしないものも含まれていて、それを物理的に実在する対象と同列に扱ってよいか、確かに疑問である。ただ、本書でもすでに何度か話題にしたように、〝物理的に実在する〟といっても、林檎や石のように直接個人の知覚によって把握できるものと、原子や電子のように物理学的には基本的な単位だが、理論的仮説とそれに基づく実験装置がないと存在を確認できないものがある。何を判断の軸にするかによって、「対象」の範囲が変わってくる。権利や義務のような制度的なものや、漫画やアニメのキャラクターのようにある人の人生に強い影響を与えるものも、真の対象ではないといって排除してしまっていいのか、という疑問が残る。

ハーマンによると、これまで哲学が〝対象〟を扱いやすくするために取ってきた戦略は、大きく分けて「解体 undermining」と「埋却 overmining」の二通りであるという。「解体」というのは、私たちが対象と呼んでいるものは事物の本来の姿ではなく、それらを構成する原子とかクオーク、ヒモというような基礎的な物理的要素こそ実在として捉えるべきだとする唯物論的な立場である。「埋却」とは、私たちが対象と呼んでいるものは、私たちの経験における現れにすぎず、物それ自体は把握しがたいとするカント的な立場である。その洗練された形態が「相関主義」だ。いずれの場合も、目の前にある「対象」は私たちから遠ざけられることになる。

ただ、全ての哲学者が「対象」と向き合うことを回避したわけでもない。ハーマンから見てかなりいい線を行っていた議論もある。フッサールの現象学と、それをある方向へ徹底させた、ハイデガーによる存在様態の分析である。

観念論者であるフッサールは、「対象」をあくまで意識に現れる対象として捉える（この点はハーマンは評価していない）。ハーマンがフッサールから学んだのは、私たちの意識に現れる「感覚的対象 sensual object」は、それぞれの対象を成り立たしめている本質的で変化することのない形相的な特徴（eidetic features）と、対象の表面に現れ、場面に応じて変化する偶然的な特徴（accidental features）の二重の様相を呈するということである。

例えば、「木」であれば、植物であって、幹と枝と葉と根がある規則に従って組み合わさっているといった本質的で抽象的な性質と、杉の木、松の木、ヤシの木といった異なった種類の木を、特定の季節や地域、風景の中で、異なった角度から見た時の見え方、前者からの射影と見なされる性質とがある。私たちが直接知覚するのは後者であるが、後者の様々な性質に関するデータや記憶がいくら集まっても、それは「対象」としてまとまらない。そもそも集めること自体が不可能である。しかし、前者は直接的に捉えることはできず、常に私たちから隠蔽されている。

フッサールは対象に備わった隠蔽作用について突っ込んで考察しなかったが、この問題にこだわり、意識の範囲を超えた「実在的対象」の存在の仕方をめぐる問題へとつなげていったのがハイデガーだ。ハーマンは、『存在と時間』における「手元＝道具存在 Zuhandensein」と「手前存在 Vorhandensein」の関係をめぐる議論に注意を向ける。

「手元存在」というのは、私たちが日常生活においてほとんど自覚することなく関わっている存在者である。現代人であれば、ドアや窓、部屋、服や靴などの身に着けるもの、電灯やテレビ、エアコン、ＰＣなどのスイッチ、筆記用具、あるいは日々利用している電車やバス、自販機、エスカレーターなどがそれに当たるだろう。私たちは日々のルーティンでそれらを何気なく扱っており、哲学や心理学の本や論文を読まない限り、主体としての自分がそれらの対象に関わっているなどとは考えない。それらは単に手元にあるのである。しかしそれが壊れたり、思ったように動かなかったりした時、私たちは改めてそれらが自分の思い通りにならない存在者＝対象として、目の前にあることに気づく。ハイデガーはこれが、私たちが「存在」について考えるきっかけになり、「対象」についての認識の基礎になると示唆する。

プラグマティズムの哲学者デューイ（一八五九〜一九五二）も同じようなことを指摘しており、ドレイファスもそこに注目して、ハイデガーをプラグマティズム的に解釈している。ハーマンはこうした方向でのハイデガー解釈には賛同しない。対象を主体にとっての道具に還元してしまうことになるからである。ハーマンはむしろ、「手元存在／手前存在」の位相の違いをめぐるハイデガーの議論から、**私たちの〝主体〟によって完全に認識されることのない、「実在的対象」が潜んでいる**ことを読み取るべきだと主張する。

道具が壊れたことによる気づきによって、私たちはドアとか窓、階段などの外観や物理的性質を認識できるかもしれない。しかし、認識できるのはそうした対象のごく一部だ。たとえば、机がスムーズに機能するかどうか決めるのは、その机自体の形状や材質だけでなく、それが部屋のサイズや位置、使う人の身体的特徴や職業、椅子や床、窓など他の道具や室内設備との関係、その地域の気候や慣習などの様々な要因である。あらゆる対象は、物理的な境界線できれいに区切られているわけではなく、他の様々な〝対象〟との連鎖の中で存在している。この関係は、個々のPCやスマホと、インターネットや周辺機器との関係を念頭に置いた方がピンと来やすいかもしれない。伝統的な認識論でそうした〝対象〟

の輪郭の延長は無視され、主体に対する現れに還元されてしまう。

ハーマンの「四つの極」

ハイデガーは、自己自身の存在を意識し、決定する主体である人間を特権化して考えているきらいがあり、そこにハーマンの不満が残る。その点で、人間か否かに関わらず、あらゆる物たちが相互に抱握(prehend)し合っている、とするホワイトヘッドの議論を評価し、「道具的存在」論をこの方向で修正して「実在的対象」論へとつなげていく。「感覚的対象」の場合と同様に、「手元存在＝実在的対象」を、私たちは直接的かつ全面的に把握することはできない。主体は〝対象〟の表象を作り出すことで〝対象〟を捉え切ったつもりになるが、対象それ自体は私たちの経験から「退隠する withdraw」(ハイデガー用語で言えば、自己を隠蔽する)。ただ、ハーマンはその「特徴」を捉えることはできることを付け加える。

このようにしてハーマンは、私たちがこの宇宙において注目すべき四つの極を指定する。「実在的対象 Real Object (RO)」「実在的諸性質 Real Qualities (RQ)」「感覚的対象 Sensual Object (SO)」「感覚的諸性質 Sensual Qualities (SQ)」である。従来の哲学の諸理論がその特定の部分にだけ関心を持って概念化してきた様々な側面がどのような関係にあるのか、この四つの極の緊張関係（tension）として説明できるという。緊張関係というのは、接近と分離の両面を含んだ関係ということである。

OとQの組み合わせから、SO-SQ：「時間」、RO-SQ：「空間」、RO-RQ：「本質」、SO-RQ：「形相」、の四つのパターンが導き出される。これらは通常はさほど目立たないが、それらが際立ってくる特殊な形態がある。その形態とは、「本質」の場合が「因果」、「空間」の場合が「魅惑」、「時間」の場合が「対峙」、「形相」の場合が「理論」である。「対峙 confrontation」というのは、絶えず変化するSQと、その変わらぬ本質としてのSOの間に齟齬が生じる、ということである。「魅惑 allure」というのは、退隠しているROが様々なSQと結びつくことで、自らがそこにあることを暗示して惹きつけ、美的経験を引き起こすことである。ホワイトヘッドが「感じ」をもたらす「罠 lure」と呼んでいる現象と通底している。「理論」は、様々な実在する諸性質から、認識の対象となるSOを抽出する営みである。

この他、O同士の結合（連結 junction）：SO-SO、RO-RO、SO-RO、Q同士の結合（放射 radiation）：SQ-SQ、RQ-RQ、SQ-RQの、併せて一〇種類の結合が考えられる。ハーマンはそれぞれについて基本的性格の説明を与える。このように対象相互の関係を思考するための枠組みを示すことで、常に主体が世界にどうやってアクセスするかを基準に考えてきた、「アクセス」の哲学と一線を画しているわけである。

『非唯物論』（二〇一六）では、唯物論や、自然や社会の全ての事物を、常に変動する諸関係のネットワークの結節点＝アクターと見なすラトゥールのアクター・ネットワーク理論（ANT）と、「対象」それ自体にこだわる対象指向性存在論（OOO《トリプルオー》）の立場の違いを強調する。OOOにとって「対象」とは、物理学的な対象には限定されないし、絶えず生成変化しているものだけが「対象」でもない。OOOの視点からの社会的な対象の分析の例として、ハーマンはオランダ東インド会社（VOC）を取り上げている。一六〇二年にオランダで創設され、時期ごとに異なった船長と乗組員から構成されて、活動する領域も目的も少なからず変遷したVOCが、対象として実在したと言えるのはどうしてか。ハーマンはそれをオランダ本国、ポルトガル、イギリスの東インド会社（EIC）、現地の諸勢力など、他の対象との「共生 symbiosis」という視点から考察している。

『対象指向存在論』（二〇一八）では、OOOを美学、社会・政治理論、科学哲学、建築の各分野に応用するとともに、デリダやフーコーの理論との違いを強調している。美学では、四方対象の間に新しい関係を作り出すメタファーの機能や、OOOと形式主義との関係について論じられている。また社会・政治理論では、「南北戦争」の対象としての性格が分析されている。

ガブリエルとシェリング――偶然性から立ち表れる必然性

ハーマンやシャヴィロと同様に、ガブリエルもまた、物（だけ）から成る偶然的秩序から意味を排除しようとするメイヤスー＝ブラシエ流の実在論への反対を表明する。ただし、ハーマンらのように「対象」を主役にするのではなく、**「主体」と「実在」の関係を再考する形で、実在論を復権しようとする。**

ラカン派の精神分析をヘーゲル読解や芸術や政治の分析に幅広く応用し、現代思想に強い影響を与えているジジェク（一九四九〜）との共著『神話・狂気・哄笑』（二〇〇九）でガブリエルは、様々な世界観や価値観が〝普遍的論理〟の制約を外れて、それぞれのむき出しの信仰を主張し合うようになる危険に対処するために、「偶然性の必然性」を主張するメイヤスーの戦略的意図自体は肯定的に受け止めている。西欧近代の標準――例えば、異性愛の白人男子であること――に近いメインストリームの集団だけではなく、様々なアイデンティティ、世界観や価値観を持った集団が実質的に参加できるよう新たなヘゲモニー的な言説を作り出し、政治のアリーナを流動化させることを試みる「ラディカル・デモクラシー」のプロジェクトを進めるには、「絶対者」を空虚なままにしておく必要がある(「ラディカル・デモクラシー」については、ラクラウ+ムフ『民主主義の革命』〔ちくま学芸文庫〕などを参照)。全ての意味の中心となるべき〝絶対者〟があり、それに従って真理の言説が構築・展開されなければならないとすれば、そこから排除されるマイノリティが生まれる。そうした懸念も理解できる。しかし、根源的なカオスこそが「絶対的」であるという自らの主張にこだわるあまり、様々な事物が存在する意味について考えることを放棄し、新科学主義的な立場に偏っていったのでは本末転倒だ。

ガブリエルは、分析哲学の消去主義に近づいていったメイヤスーの路線に対して、存在の偶然性を言語化することを試み続けたハイデガーやウィトゲンシュタイン、「聖なるもの」における過剰なエネルギーの蕩尽《とうじん》を論じたバタイユ(一八九七〜一九六二)などを評価する。「偶然性」を考え抜いた哲学者としてガブリエルが最も重視するのは、**シェリング**だ。

フィヒテやヘーゲルと並んで、ドイツ観念論の三巨頭とされるシェリングであるが、ガブリエルに言わせると、シェリング、特に後期のシェリングは、「偶然性」をどう扱うという点で、フィヒテやヘーゲルと決定的に異なる。簡単に言うと、フィヒテやヘーゲルの哲学が「反省的思考」と「論理」に重点を置くのに対し、後期シェリングは、思考以前の「存在」、偶然性と必然性の境界線がない無規定の存在＝カオスに関心を向ける。

ヘーゲルによれば、「世界」は、思考することを通して自己を知ろうとする「精神」の自己反省の運動として成立しており、私たち個々の主体は、その運動に組み込まれている。これは、「世界」はコンピューターに取り込まれるデータで、「精神」はそこで実行されている全てのプログラムを束ねるＯＳ、主体である私たちは個別のプログラム、あるいはプログラムでの作業に登場するキャラクターだと考えれば分かりやすくなるだろう。「世界」の仕組みを把握するには、ＯＳ＝精神を動かしているプログラムの論理構造を解明するしかなく、「世界」の全てはその論理に従って必然性をもって生じている。それに対して、コンピューターの素材や物理的構造、周辺の環境、そしてプログラムの論理構造などが現にあるように与えられているのは、端的な事実であって、それについては、（プログラムによって解明し得る）いかなる論理的必然性もないこと、その意味で偶然的であることを指摘するのがシェリングである。

存在の「偶然性」を指摘した後、哲学的思弁を深めることを放棄して、科学に寄りかかろうとしたメイヤスーと違って、シェリングは「偶然性」から（私たちにとっての）「必然性」

が、それと不可分の関係にある思考、論理、真理が立ち上がってくる過程を辿るべく、「神話」の解釈に取り組んでいる。近代の哲学者は、神話を、未開な人間の無意識の欲望の投射、想像力の産物、幻想の連鎖などと表面的に理解し、シェリングの神話論も、反合理主義のマニフェストと見なしがちである。しかしガブリエルに言わせれば、シェリングは非合理の領域に逃避したわけではなく、世界の原型を産出する神話の構成的機能に注目したのである。

シェリングの「神話」論は、反省的・論理的思考とそれ〝以前〟の偶然性と必然性が絡んだ無意識・カオスの領域の間の中間的・過渡的な段階への探究として位置づけることができる。ガブリエルは、私たちが世界を把握する基礎となる「理性の空間 space of reasons」を切り開く「構成的神話 constitutive mythology」と、共同体が自己のアイデンティティを確認するために利用するものにすぎない「統制的神話 regulative mythology」を区別し、前者こそシェリングの仕事の成果だとする。このようにしてガブリエルは、神話や隠喩の構成的機能を見いだした後期シェリングの思考を、自らの構想する新しい実在論につなげていく。

根源的なカオスをめぐるシェリングの議論を、単なる神秘主義ではなく、現代的な哲学の問題として受けとめる見方は、ドイツ語圏にかなり以前からあった。例えばハイデガーは、無規定なものから「存在」の領域が開示されてくるプロセスを描いた点でシェリングを評価しているし、神話解釈と唯物論を融合した独自のユートピア思想を展開したエルンスト・ブロッホ（一八八五～一九七七）や初期ハーバマスは、シェリングの神話の哲学の内に千年王国的な革命のポテンシャルを見ようとしている。フランス系の現代思想の影響を強く受け、ドイツ・ロマン派の内に構造主義／ポスト構造主義の脱主体的な理論の先駆を見ようとするマンフレート・フランク（一九四五～）などは、シェリングもこの文脈の中に位置づけようとする。

彼らはいずれも、根源的な偶然性＝カオスから、「理性」「論理」「必然性」が立ち上がってくるのを、後期のシェリングが見据えていたことを強調する。ただ、マルクス主義系の解釈にしろ、ハイデガー・ポストモダン系の解釈にしろ、シェリングをカオスの思想家として描く傾向がある。ガブリエルは、むしろ根源的なカオスの後に現れてくるもの、神話によって構成される、存在の「諸領域」に関心を向ける——ハイデガーと違って、ガブリエルは「存在」という概念自体が、論理的に分析不可能なものだとは考えない。

ガブリエルの新実在論の二つの柱――「意味の場」と「世界」

世界の無意味性を強調するメイヤスーやブラシエとも、主体抜きの対象の存在論を展開するハーマンやシャヴィロとも異なるガブリエルの「新しい実在論」には二つの柱がある。一つは、「世界は存在しない」という印象的なテーゼで知られる**「意味の場 fields of sense = Sinnfeld」**の理論で、もう一つは、その「意味」を創り出す主体として復権させる**「新実存主義** Neo-Existentialism」である。

「世界は存在しない」というテーゼの意味は、それをタイトルにした彼の主要著作『なぜ世界は存在しないのか』（二〇一三）で分かりやすく解説されている。このテーゼは私たちの直観に反するように聞こえるが、肝心なのは、「世界」と「存在」が何を指すかである。

ハーマンのところで見たように、私たちの周囲には、ペンとか人間とか法律、地球……といった様々なタイプの対象が「存在」する。ガブリエルによると、これらのそれぞれが存在するか否かは、**それがどういう「意味の場」に現れるかに依拠する**。例えば、電子マネーは具体的な商品の取引の場面では「存在」するが、電子マネーという概念を持たない人や動物にとっては存在しない。スーパーマンはSFの物語の中では存在するが、その外では存在しない。整数、有理数、無理数、虚数などは、数学の法則が適用される場面では存在するが、数という概念をそもそも持たない人や動物の多くにとっては存在しない。犬や猫、人間などの個体は、生物学的には存在するが、原子や電子など素粒子物理学のレベルでは、一つのまとまりとして存在するとは言えず、その逆も言える。**ガブリエルの定義では、「意味」とは対象の現われ方であり、「存在すること Existenz」とは、何らかの「意味の場」に現れることである。**

彼の定義する「世界 Welt」とは、それらの「意味の場」が現れてくる「意味の場」である。いわば、メタ・意味の場だ。スーパーマンやアンパンマンが、彼らを主人公とする物語という「意味の場」に現れると言われても、その「意味の場」自体が虚構なのではないか、と疑問を持つ人が少なくないだろう。しかしガブリエルに言わせると、これらの「意味の場」は「世界」という究極の「意味の場」に現れているのだから、「存在している」と言える。私たちは、ＳＦやアニメの物語として「世界」に現れている「意味の場」に様々な形で関わっているし、芸術や科学の諸分野や学派ごとの「意味の場」に関わることができる。それらの「意味の場」が、「世界」という共通の「意味の場」に現れているからである。

なぜ世界は存在しないのか

では、そうした「意味の場の意味の場」としての「世界」自体も存在するのではないか？普通の人はそう言いたくなるが、ガブリエルはそれを否定する。「世界」が「存在する」には、「世界」がそこに現れることのできる、意味の場の意味の場の意味の場を想定しなければならない。それはメタ世界ということになるが、今度は、意味の場の意味の場の意味の場の意味の場の……と無限に続くことになる。分析哲学の可能性世界論では、世界を命題の集合と見なすので、こうした無限の世界の連鎖があり得るが、ガブリエルは、あらゆる「意味の場」が現われる「意味の場」である、という「世界」の定義上、他の「意味の場」に現れることはないとする。英語で執筆された『意味の場』（二〇一五）では、こうした自らの議論を、アリストテレス、カント、数理論理学者で分析哲学の先駆者であるフレーゲ（一八四八～一九二五）、メイヤスーなどの存在論と対比して性格づけたうえで、これらの立場からの予想される反論に答えることを試みている。

このように、「存在」と「世界」を一義的に定義し、問題を論理学的に整理していくような論法は、「存在」が人間の理性による把握を超えたものであること、人間（現存在）は気がついた時にはすでに「世界」に投げ込まれているという事実にこだわるハイデガーは受け入れないだろうが、ガブリエルは哲学（思考）する主体としての私の限界にはさほどこだわっていないようである。また、ハイデガーであれば、英語のbe動詞に相当するsein動詞の変形として表される「存在Sein」それ自体と、「○○が▲▲にある」ことを表現する時に使われるドイツ語表現〈Es gibt～〉――文字通りに訳すと、「それは～を与える」――と、人間の「実存」という意味で使われる〈Existenz〉の区別を重視するが、ガブリエルは〈Sein〉はほとんど使わず、〈Es gibt～〉と〈Existenz〉を互換的に使っている。ハイデガーやガダマーなど、ドイツ哲学のお家芸とも言える解釈学的な議論と違って、ガブリエルはドイツ語やギリシア語の独得な言い回しや語源学的含意にこだわらないし、伝統的な解釈にあまり重みを持たせない。ハイデガーやガダマー、あるいはそうした言語と存在を結びつける思考法を、異なる言語観（言語＝コミュニケーション）によって打破しようとしてきたハーバマスのような哲学者や、両者の対決こそドイツ哲学と思ってきた読者には、ガブリエルの「存在」論は随分あっさりしているように見えるだろう。

ガブリエルは、哲学の領分を討議における倫理に限定し、「自然」をめぐる議論を、自然科学に譲り渡しているかに見えるハーバマスの「弱い自然主義 schwacher Naturalismus」に対しても批判的であり、「哲学」は、自然科学の専権事項とされている問題も含めて、様々な「意味の場」に関して積極的に発言すべき、という立場を取っている。

「私」は脳の働きに還元されない

「世界」の「存在」を否定する一方で、様々な「意味の場」を対等に扱おうとするガブリエルの立場は、かなり戦略的なものである。ポストモダン的な相対主義に抗して、「実在」について哲学的に語る道筋を再び見いだすという目標を、ガブリエルはメイヤスーやハーマン、フェラーリスなどと共有している。

ただ、先に見たように、〝単一の意味の源泉〟を見いだしたと主張する独断的・排他的な存在論と、分析哲学の物理主義のように、自然科学の〝最新の知見〟を唯一の尺度にして、それに翻訳できないものを無意味と断ずる、もう一つの独断論の両極を避けねばならない。『なぜ世界は存在しないのか』や『意味の場』では、前者の独断を排すべく「世界」の「存在」を否定し、それが芸術、宗教、様々な「意味の場」が共存するためのプラットフォームであることを示唆した。**「世界」が「存在」しない以上、それを〝単一の意味の源泉〟として悪用することはできない。**

「自然科学」を旗印にした独断を抑制する議論は、この二冊でも部分的に展開されているが、本格的に展開されているのは、彼の三部作の第二弾『「私」は脳ではない』(二〇一五)である。この著作でガブリエルは、物理的領域であり、自然科学の諸分野の探求の対象となる「宇宙 Universum」は、(『なぜ世界は存在しないのか』の意味での)「世界」とイコールではない、ということを前提として、物理的因果法則を探究する自然科学によって宇宙の中に「精神」が見いだせないからといって、「精神」が存在しない、と結論するのは誤謬であると主張する。彼は、「「私」=脳」と見なす神経中心主義を自然科学ではなく、イデオロギーだと断言する。

この著作の中で、ネーゲルの「〜であるとはどのようなことか」論やジャクソンの「メアリーの部屋」論法、サールの一人称の視点、チャーマーズの意識の二つの位相の区別などを参照しながら、チャーチランドやデネットによる神経主義的な「意識」の定義の狭さを指摘していくガブリエルのやり方は、分析哲学にかなり寄り沿っている。彼の独自の視点としては、**シェリングの自然哲学的な問題意識とフロイトの精神分析をつなぐことで、脳の働きに還元されない「私」の拡がりを示すことを試みている。**

世界の全てを、理性的な自我による自己措定という自我中心主義的な枠組みで説明しようとしたフィヒテに対し、シェリングは、「自然」の中から人間のように自己と宇宙を観察し、理解する生き物が生まれてきたことをどう考えるか、という問題を立てた。それは偶然なのか。それとも知性は、無意識に見える「自然」に潜在的に含まれていて、人間において覚醒したと見るべきか。

これに一つのヒントを与えてくれるのが、フロイトだ。フロイトは、意識の主体である「私」が自己自身を完全に支配している主人ではなく、無意識＝エス（それ）によって常に追い立てられ、ある意識を持ち、それによって行動するように仕向けられていることを臨床経験に基づいて主張し、精神分析の理論へと体系化した。「エス」の次元で働く「欲動」は、「私」をある状態から他の状態へと常に駆り立てる。それは「意識」の次元では、「私」の願望として表現される。

フロイトは、「自然」を代表する「エス」と「私」の間の複雑な関係を描き出した点で功績があるが、「エス」を生物学的に実証できるものと考え、「私」をその派生物だと考えていたふしがある。ガブリエルはそれを踏まえたうえで、脳を中心とする人間の身体は、「私」が活動するための「必要条件」ではあるが「十分条件」ではない、と言う。「私」は私たちが歴史の中で形成してきたものであり、社会的・文化的な価値に従って自らの言動を選択する。ガブリエルは、私たちがどのような意志を持とうが逆らいようがない、地球の重力とか人間の身体の生物学的な構造などの「匿名の固い原因 eine harte anonyme Ursache」と、自らの意志によって追求できる「理由 ein Grund」を区別し、後者の選択が可能だという意味で、人間には「自由 Freiheit」があるという立場を取る。

これはマクダウェルなど、ピッツバーグ学派の「理由の空間」論の焼き直しのようでもあるが、ガブリエルは、マクダウェルらは「理由の空間 Raum der Gründe」と「原因の空間 Raum der Ursachen」を分断しているため、両者の関係が分からなくなっているとして、少し距離を取っている。「匿名の固い諸原因」を必要条件とし、それにいくつかの選択による理由が合わさった「一つの充足理由 ein zureichender Grund」によって、人間の「行為 Handeln」という特殊な出来事が生じる。出来事には常に「充足理由」があるという意味での「決定論」と、「固い原因」に還元がされない「理由」があるという前提から帰結する「自由」は両立するという。この意味での「自由」の主張が、彼の「**精神哲学** Philosophie des Geistes」の特徴だ。

新実存主義——歴史的に形成された概念としての「精神」

『「私」は脳ではない』でガブリエルは、意図的に分析哲学風の「心の哲学 philosophy of

mind」ではなくて、ヘーゲル風の「精神哲学」という言い方をしている。彼はドイツ語圏で、〈philosophy of mind〉を〈Philosophie des Geistes〉と翻訳する安易な傾向があることに批判的である。**彼にとって、脳機能を中心とした意識の働きに焦点を当てた「心」と、歴史的・文化的に形成されてきた「精神」は異なる概念なのである。**

この点は、チャールズ・テイラーやフランスの現象学者ジョスラン・ブノワらとの共著『新実存主義』(二〇一八)で分かりやすく解説されている。この中でガブリエルは、「心 the mind」というのは、人間を純粋に物理的世界や他の動物から区別するために作り出された雑多な概念であり、明らかに物理的なものから、現実には存在しないものまで雑多なものを含む言葉であると言っている。意識がある、自己意識を持つ、自己を知っている、神経質である、知性があるといった述語が付与されるべき、単一の「対象」などない。ただ、一つの「対象」はなくても、それらの心的語彙(mentalistic vocabulary)による表現をまとめあげている、不変の統一的構造がある。それを彼は「精神」と呼ぶ。先に述べたように、「精神」は歴史的に形成された概念である。

ガブリエルによると、「精神」は、「諸制度が司る非自然的文脈 non-natural contexts governed by institutions」に組み入れられている「人間の行為 human action」を説明するために援用される説明構造だ。人間の行為の前提になっている制度は、生物としての個々の人間の身体を越えて歴史的・社会的に形成されるものであるから、人間の行為の全てを、脳の中の神経の作用だけで説明できるものではない。そうした唯物論的には説明できない部分を説明するために生み出されたのが「精神」だ。

「心」に換えて、人間が自ら作り出してきた「精神」に焦点を当てて、人間の行為を明らかにしようとするのが、「新実存主義 Neo-Existentialism」である。「実存主義」というと、通常は「実存は本質に先立つ」という、サルトル(一九〇五〜八〇)の有名なフレーズに代表される、キルケゴール、ヤスパース、ハイデガー、サルトルなど、人間の共通の「本質」よりも個々の人間の「実存≒生きる姿勢」を重視する思想の系譜を指す。サルトルによると、人間はあらかじめ与えられた「本質」に規定されることなく、自らの決意によって「実存」を選び取り、遡及的に〝本質〟を作り直すことができる。その意味での人間の自由を主張するのが「実存主義」である(ハイデガーはこの意味での「実存主義」とは一線を画しているが、この点について詳しくは拙著『ハイデガー哲学入門』〔講談社現代新書〕および『〈後期〉ハイデガー入門講義』〔作品社〕を参照)。

ガブリエルは、ヤスパースの代わりに、カント、ヘーゲル、ニーチェの三人を入れた六人を実存主義の代表格としている。ニヒリストであり、理性的思考の下に潜んでいる暗い感情や欲求を掘り下げて論じ、実存主義と関連づけられることもしばしばあるニーチェはともかく、普遍的な理性を語ったカントやヘーゲルを入れるのは、いかにも唐突に見える。ガブリエルによると、彼らは、人間の心＝精神には、自分たちの行為を調整し、説明するための枠組みとなる制度を作り出す能力がある、という信念を共有している、という。

これは、哲学史の常識からすると緩すぎる共通項だが、人間が自分たちの振る舞いを制御するための制度的枠組みを作り出し、それを通して自らを作り出してきたことに注目する思考の系譜はある。ピッツバーグ学派やサールも、「心」の制度的な側面を強調するが、歴史的に持続する「精神」のようなものを想定することは避ける。その点、ヘーゲル研究者でもあるコミュニタリアンのテイラーは、ガブリエルの大雑把な定式化に理解を示している。人間を、物語によって自己解釈する存在者と見るテイラーの人間観は、説明構造としての「精神」というガブリエルの見方と親和性があるようだ。ガブリエルは、「新実存主義」の人間観を以下のように要約している。

人間は、いかなる所与の状況にあっても、自らの位置を超え出て、絶えず、諸事物の連関というより大きな地図の中に統合する。私たちは、他の人々は別の前提の下に生きているという前提の下で、自分の人生を生きている。だからこそ私たちは、同類である他の人間が自らと現実をどう捉えているかに、本質的に関心を寄せるのである。

ちなみに、〈Neo-Existentialism〉の〈Neo〉は、映画『マトリックス』（一九九九）の主人公ネオを含意している、とガブリエル自身が述べている（丸山俊一＋NHK「欲望の時代の哲学」制作班『マルクス・ガブリエル　欲望の時代を哲学する』［NHK出版新書］を参照）。天才ハッカー（として活動していたつもりの）「ネオ」（トーマス・アンダーソン）は、プログラムの作り出す仮想現実であるマトリックス空間の中で、〝本当の現実〟へと覚醒し、レジスタンス活動に加わるわけだが、ガブリエルはそうした「ネオ」を、ファイアーウォールをくぐり抜けて、システムの支配を侵食するウィルスに例えている。そうした反システム的な態度へと呼び掛けるアピールを、〈Neo-Existentialism〉に込めているという。

「意味」を生み出すということ

そうした闘いをテーマにしたのが、三部作の最終作である『思考のセンス（Der Sinn des

Denkens)』(二〇一八)である。ドイツ語の〈Sinn〉は、英語の〈sense〉と同様に、「意味」と「感覚」の二つの意味があるが、その二重の意味をかけたタイトルである。古代以来、哲学にとって最大のテーマであった「思考(すること)Denken」の「意味」を問う、というテーマ設定と、「思考」とは視覚・聴覚・嗅覚・味覚・触覚や感情などと同様に、現実にアクセスするための「能力」である、という独自の主張をかけているわけである。

「感覚」としての「思考」というのは、具体的には、アリストテレスの言う「共通感覚」のように、諸感覚を統合する「感覚」ということである。ただし、単に統合するだけでなく、自分が、対象を見たり聞いたり、触ったりしていることを知覚するという、感覚の感覚という性格を持っている。それが「自己意識」である。こうしたメタ認識=自己意識を伴う「思考」は他の感覚と違って、対象に関して物理的に制約されておらず、数学で無限の数列を考えることができるように、どこまでも拡張可能だ。「思考」の働きによって、私たちが日々様々なタイプの対象の認識に即して遭遇する、各種の「意味の場」が連結されるのである。

コンピューターは、そうした「思考」の情報処理能力を補助するために生み出された外部装置である。前章で見たように、分析哲学の物理主義は、人間の脳を情報処理機構と見なし、ＡＩと人間の「心＝脳」の等価性を主張する。社会のデジタル化が進み、私たちが遭遇する現実が、コンピューターで処理可能な数値化されたデータの形を取ることが多くなるにつれ、その印象は強まっている。それに対してガブリエルは、**私たちの「思考」が処理するデータ、およびその過程を表現し、媒介する「言語」は、私たちの身体という生物学的な基盤に基づいて獲得された「感覚 Sinn」的なものであり、それゆえに「意味 Sinn」を帯びているが、コンピューターのデータには「感覚」が伴わず、したがってコンピューターは「意味」を生み出すことができない**、と断ずる。

この観点から彼は、現代における社会的現実は各種のメディアによって作り出されており、シミュレーションと現実の区別をつけることはできないとするボードリヤール（一九二九～二〇〇七）の議論や、私たちの精神生活や社会はシミュレーションにすぎないといったポストモダン的な議論を、消費者として生きる私たちに、経済的にグローバル化された社会の汚い現実を見せないようにするまやかしだとして批判する。**現実はあくまでも、私たちの身体性と結びついているのである**――こうした彼のシミュレーション論批判は、「意識」の身体性や文脈依存性に注目する後期パトナムやドレイファスの議論を、素朴に社会批判に応用しているように思える。

ただし、その反面、「精神」をめぐる「新実存主義」の議論から分かるように、人間の「思考」は、歴史を通して形成されてきた面もある。私たちは教育を通して、自らの子孫の「思考」を人為的に形成する、ということをやっている。私たち自体が社会的・文化的に作り出されたK.I.（künstliche Intelligenz＝AI〔人工知能〕）であり、現在、K.I.と呼ばれているものはむしろ、K.K.I（künstliche K.I.：人工AI）と呼ばれるべきではないか。K.I.として生まれてきた私たちは、これまで、さらなる発展のための指標として様々な「人間像 Menschenbild」を作り出してきたが、それらの多くは必ずしも、実際に人類の進歩をもたらさなかった。逆の結果をもたらしたこともある。だからこそ、精神的な生き物として自己形成してきた「人間」を廃棄しようとするポストヒューマニズムの試みに抵抗しなければならない。それが彼の結論だ。

●第一章関連

現代正義論の分かりやすい見取り図を得るには、やはりサンデルの『**これからの「正義」の話をしよう――いまを生き延びるための哲学**』（ハヤカワ・ノンフィクション文庫）が最適だろう。「功利主義 vs. リベラリズム vs. コミュニタリアニズム」の哲学的対立構図が、現代の時事的問題とどのように絡んでいるか具体的に示されている。英米の正義論の歴史を、とかく悪者にされがちの「功利主義」を軸に整理し直した児玉聡『**功利と直観――英米倫理思想史入門**』（勁草書房）は、「功利主義」と称される諸潮流の全体像や、ロールズが「功利主義」の何にこだわっていたか理解するうえで参考になる。政治思想の諸潮流の理論的核心と争点を正確に記述した本格的な入門書に、キムリッカの『**新版　現代政治理論**』（日本経済評論社）がある。リベラルな平等主義の立場から、功利主義やリバタリアニズムを批判的に描いている点に難はあるが、その分リベラルな正義論と他の諸理論の対立点が鮮明になっている。マルクス主義やフェミニズム、シティズンシップ論とリベラリズムの関係についても重要な論点が示されている。ロールズの正義論をめぐる思想史的布置状況については、渡辺幹雄の一連の著作がある。**『ロールズ正義論の行方——その全体系の批判的考察』『ロールズ正義論再説——その問題と変遷の各論的考察』『ロールズ正義論とその周辺——コミュニタリアニズム、共和主義、ポストモダニズム』**（以上、春秋社）。ロールズの思想の変遷をコンパクトにまとめたものとして、拙著**『いまこそロールズに学べ——「正義」とは何か？』**（春秋社）がある。

●第二章関連

ポストモダン系の脱主体化議論がどういうものかおおよそのイメージを得るには、浅田彰の**『構造と力——記号論を超えて』**（勁草書房）とリオタールの**『ポスト・モダンの条件——知・社会・言語ゲーム』**（水声社）を併読するのがいいだろう。前者からは、一九六〇～八〇年代にかけて記号論を中心に発展したフランス系の現代思想が何を問題にしていたか、構造主義からポスト構造主義への移行にどのような意味があったのかを学ぶことができる。後者は、ポストモダン社会とはどういう社会か、言語ゲームの構造の変化という観点から論じている。ハーバマスの『**哲学の近代的ディスクルスⅠ・Ⅱ**』（岩波書店）は、ポストモダン系の諸思想に抗して、近代啓蒙主義・市民社会的秩序を擁護する試みである。一方的な批判も目立つが、ポストモダン思想の何が問題視されているのかよく分かる。ローティの『**哲学と自然の鏡**』（産業図書）は、分析哲学に代表される近代の「理性の主体」論が抱える問題点を浮き彫りにする。ハーバマスの『**コミュニケイション的行為の理論（上・中・下）**』（未来社）は、従来の主体論の独断性・モノローグ性を回避する、開かれた主体論の可能性を探究する試みとして読むことができる。モダン／ポストモダンの狭間で形成された現代の承認論が何を目指しているかについては、チャールズ・テイラーやハーバマス等の論集『**マルチカルチュラリズム**』（岩波書店）と、ホーネットの『**承認をめぐる闘争――社会的コンフリクトの道徳的文法**』（法政大学出版局）を参照。テイラーやホーネットの理論的源泉となったヘーゲルの承認論を学ぶには、ジープ『**ジープの承認論**』（こぶし書房）とバトラー『**欲望の主体――ヘーゲルと二〇世紀フランスにおけるポスト・ヘーゲル主義**』（堀之内出版）、拙著『**ヘーゲルを越えるヘーゲル**』（講談社現代新書）などがある。

●第三章関連

「自然主義」と呼ばれる諸潮流を包括的に紹介する概説書として、植原亮『**自然主義入門——知識・道徳・人間本性をめぐる現代哲学ツアー**』（勁草書房）とロイ・バスカーの『**自然主義の可能性——現代社会科学批判**』（晃洋書房）がある。前者はクワイン、デネット、チャーチランドなど分析哲学・科学哲学のメインストリームの見解に即して、テーマ別に自然主義が突きつける諸問題を分かりやすく解説している。後者は、ヘーゲル、マルクス、実証主義、批判的解釈学といった思想史的な系譜を追いながら、「自然主義」をめぐる哲学的な攻防の根底にある「自然」と「社会」の捉え方の違いや方法論をめぐる問題を掘り下げて論じている。戸田山和久『**哲学入門**』（ちくま新書）は、自然主義的な視点から、哲学でよく使われる基本的カテゴリーを批判的に検証するという形を取っており、実質的には、徹底的に自然主義化した哲学の教科書の観を呈している。多くの翻訳が刊行されているデネットの諸著作のうち、『**自由は進化する**』（NTT出版）『**解明される宗教——進化論的アプローチ**』『**思考の技法——直観ポンプと77の思考術**』『**心の進化を解明する——バクテリアからバッハへ**』（以上、青土社）は、それぞれ自然主義的な思考法への入門書として読むことができる。

●第四章関連

「心の哲学」の全体像を把握するには、そもそも「分析哲学」とはどういう発想をするのかおおよそのことを知っておく必要がある。コンパクトかつ体系的にまとまった入門書として八木沢敬『**分析哲学入門**』『**意味・真理・存在——分析哲学入門・中級編**』『**神から可能世界へ——分析哲学入門・上級編**』（以上、講談社選書メチエ）がある。「心の哲学」の個別のテーマを網羅的に紹介するものとして、信原幸弘編『**心の哲学**』（新曜社）がある。本書では直接扱えなかった、枠問題、アフォーダンス、コネクショニズムなどの重要テーマや、精神医学・心理学的なテーマもカバーされている。チャーチランドの『**物質と意識——脳科学・人工知能と心の哲学**』（森北出版）やデネットの『**解明される意識**』（青土社）は、彼らの独自の理論を展開するだけでなく、物理主義的な「心の哲学」の諸潮流や研究成果を紹介する入門書的な性格も持っている。デネットと「意識」や「志向性」の本質をめぐる論争を繰り広げてきたサールの議論を把握するには、到達点として『**MiND**』（ちくま学芸文庫）を参照。人工知能研究の知見が哲学に与えた影響を知るには、ミンスキの『**心の社会**』（産業図書）が分かりやすい。「心の哲学」の倫理学への応用の試みに、パトリシア・チャーチランドの『**脳がつくる倫理——科学と哲学から道徳の起源にせまる**』（化学同人）がある。

●第五章関連

「新しい実在論」の騎手と目されるメイヤスー、ハーマン、ガブリエルの三人を中心にまとめた入門書に、岩内章太郎『**新しい哲学の教科書——現代実在論入門**』（講談社選書メチエ）がある。同書は分析哲学の傍流で、パトナムなどと同性代に属する長老であるドレイファスとテイラーの『**実在論を立て直す**』（法政大学出版局）も、新しい実在論につながる試みとして位置づけており、分析哲学とのつながりを知ることができ、示唆的である。ガブリエルの『**なぜ世界は存在しないのか**』『**「私」は脳ではない——21世紀の精神の哲学**』（以上、講談社選書メチエ）や、テイラー等との共著『**新実存主義**』（岩波新書）は、現代哲学の全体的構図の中に自らの実在論・新実存主義を位置づけており、哲学入門的な世界も持っている。ガブリエルの視点からの現代社会の分析として、丸山俊一＋ＮＨＫ「欲望の時代の哲学」制作班『**マルクス・ガブリエル 欲望の時代を哲学する**』『**マルクス・ガブリエル 欲望の時代を哲学するⅡ——自由と闘争のパラドックスを越えて**』（以上、ＮＨＫ出版新書）がある。シャヴィロの『**モノたちの宇宙——思弁的実在論とは何か**』（河出書房新社）は、思弁的実在論の理論家たち相互の関係を知るうえで便利。シャヴィロやハーマンが依拠しているホワイトヘッドの哲学の概要については、中村昇『ホワイトヘッドの哲学』（講談社選書メチエ）が分かりやすい。新実在論との関係が取り沙汰されることの多いラトゥールのＡＮＴについては、『社会的なものを組み直す――アクターネットワーク理論入門』（法政大学出版局）を参照。

あとがき

本書の第四章をもう少しで書き終えられそうになった時、コロナウィルス問題が深刻化し始め、第五章を書いている間に、緊急事態宣言が出された。その影響で大学の図書館が休業になるなど、資料の確認が少し面倒になったが、何とか五月中に書き終えることができた。

私は通常、「あとがき」、特に純理論的な内容を扱った本のそれを、時事ネタに絡めて書かないことにしている。時流に媚びて注目されようとする態度は、さもしいと感じるからだ。ただ、今回のコロナ騒動に限っては、本書でも焦点になったテーマと深く関係しているような気がする。「人間の心とＡＩ」をめぐる一連のテーマだ。コロナの影響で、人と直接向き合うのではなく、もっぱらＰＣを介してやりとりする機会が増え、さらにそれに伴って会議・記録のための各種のアプリの使い方を学習せざるを得なくなった。

ハイデガー＝ドレイファスや後期パトナムが提起する「心」の認識能力の文脈依存性、身体性をめぐる問題や、デネットやヒースの議論の核にある「心」と連動する外部装置やミームをめぐる問題、ギネス＝シャヴィロの「モノたちの宇宙」との関連が思い浮かんできた。ＰＣとネットへの依存が高まることで、私たちの認知能力やコミュニケーション能力はどうなっていくのか。ネットとＡＩのおかげで私たちの能力は飛躍的に向上するのか。『マトリックス』の住人のようにシステムを構成するパーツになっていくのか。それとも、自発的に行動する能力を失って退化していくのか。

無論、何かはっきりした答えが出たわけではないが、ZoomやSkypeなどの会議システムを使って学生とやりとりしていると、現代人の思考が普段思っている以上に、ＰＣなどの外部装置に依存していることが実感される。マスコミでは「デジタル・ネイティヴ」という言葉が当たり前のように使われ、ＩＴ技術を使った先端的学校教育が紹介されているが、文系の大学生の中には、スマホは日常的に使っているが、ＰＣは高校の授業でちょっといじって以降ほとんど触っていない、という者が少なくない。スマホが使えれば、ＰＣくらい使いこなせると思うかもしれないが、一年生向けの教養科目を教えていると、そんなことはないのがすぐに分かる。ExcelやPower Pointどころか、Wordでさえ使いこなせない学生は少なくない。金沢大学での私の経験からすると、大学に入学した時点で少なくとも二割くらいの学生はそういう状態である。

普通は、情報処理の授業を受けたり、詳しい同級生から教えてもらったりしてどうにかなるようなのだが、今回のように、他人から直接教えてもらう機会がないまま下宿で一人暮らしを始めると、どうやってPCを設定していいのかさえ分からないで、数日間ぼうっとしたまま過ごしてしまうことになりかねない。何人かそういう学生に実際出くわした。電話で話をしながら、Skypeの画面の操作の仕方を教えねばならない者もいた——私はあまりIT機器の性能に関心はないので、通常は教えてもらう側である。本当にうんざりする。信じられないかもしれないが、「クリックする」が通じない者もいた。

そういう学生を相手にして疲れながら、私自身が普段、本や論文の執筆、授業の準備でどれだけPCやネットに依存しているか、PCが使えないと思考と行動の範囲がどれだけ限定されるか、改めて考えさせられた。

常日頃、哲学系の仕事をしているのだから、PCなどの情報検索装置や細かい資料が手元になくても、自分の頭と筆記用具さえあれば、結構できることはあるはず、と自分に言い聞かせてはいる。しかし、いざPCが故障したり、大学のネットワークがダウンしたりするといった〝不測の事態〟が生じると、そのことが気になって、集中して思考できなくなる。ひどい頭痛などの体調不良で、仕事をするのが困難なのと同じような感じになる。実際、ＰＣ関係の問題が生じると、体調も悪くなる。思考が身体の状態に左右され、その身体の状態は環境によって規定されているという、ニーチェ以来何度も繰り返し主張されてきたことを実感する。今回のコロナ騒動を機に、こうした議論がどういう方向に展開していくか分からないが、私自身の思考－身体－環境回路は変化しているような気がする。

本書では、直接テーマとして取り上げなかったが、Zoomなどの会議システムを使った遠隔授業は、人間の「公／私」の感覚を変化させる。教室だと、お互いに見せ合うことのないプライベート空間の一端が見えてしまうし、会話をすると、話し手の顔をかなりアップで観察することになる。プライベートが見えてしまうことに対するリアクションから、その人の性格が見えてくる。無論、それに耐えられない学生や教員も出てくるだろう。

ＡＩ－ＩＴによって人間が振り回される状況が続くと、ガブリエルの「新実存主義」のように、自らが生きる環境を制御し、様々な対象領域を自由に渡り歩く「精神」の偉大さを言祝《ことほ》ぐ思想が台頭してくるのもうなずける。「ネオ」になり、システムに侵入し、自分たちのものとして取り戻そうというメッセージは分かりやすく、受け容れやすい。しかし、その根拠をきちんと吟味することなく、カリスマを中心としたブームにのっかってしまうと、「哲学」ではなく、「ビッグブラザー」の支配へと誘うレトリックになってしまう。

今まで全然分からなかった〝哲学〟が、急に「したたかに生きるための知恵」に思えてきたら、要注意だ。そういう時こそ、なかなか理解させてくれない、身体的に拒否感を覚えるような、手ごわいテクストを読むべきだ。

二〇二〇年六月八日

遠隔授業・会議が日常化しつつある金沢大学角間キャンパスにて

仲正昌樹

〈な〉

〈は〉

人 名 索 引

仲正昌樹 なかまさ・まさき
1963年広島県生まれ。
東京大学大学院総合文化研究科地域文化研究専攻
博士課程修了(学術博士)。
現在、金沢大学法学類教授。
著書に『集中講義!日本の現代思想』
『集中講義!アメリカ現代思想』(NHKブックス)、
『悪と全体主義』『現代哲学の論点』(NHK出版新書)、
『ヘーゲルを超えるヘーゲル』(講談社現代新書)、
『現代思想の名著30』(ちくま新書)、
『マルクス入門講義』(作品社)など多数。

NHK出版新書 627
現代哲学の最前線
2020年7月10日　第1刷発行
2023年8月5日　第4刷発行
著者　仲正昌樹
発行者　松本浩司
発行所　NHK出版
〒150-0042東京都渋谷区宇田川町10-3
電話 (0570) 009-321 (問い合わせ) (0570) 000-321(注文)
https://www.nhk-book.co.jp (ホームページ)

ブックデザイン　albireo
印刷　壮光舎印刷・近代美術
製本　二葉製本

Printed in Japan ISBN978-4-14-088627-4 C0210